LE CANCER À ONZE ANS

photographie de la couverture: François Roy, *Le Droit*
photographies intérieures: Ghislain Savoie
photographie de Yo-Yo Ma: Christian Steiner et ICM Artists Ltd
maquette de la couverture: Danielle Perret

ISBN : 2-7609-9860-6

© Copyright Ottawa, 1991 par Leméac Éditeur Inc., 3575 boul. Saint-Laurent, bureau 902, Montréal, Qc, H2X 2T7
Dépôt légal — Bibliothèque nationale du Québec
1ᵉ trimestre

Imprimé au Canada

Mathieu Froment-Savoie

LE CANCER
À ONZE ANS

LEMÉAC

JEUNESSE

À ma sœur Julie.
À papa, à maman et à tous mes
parents et amis. À tous ceux qui
se battent contre une maladie
grave et à ceux qui les soutien-
nent dans cette lutte.

PRÉFACE

Quand notre fils Mathieu nous a annoncé qu'il avait décidé de raconter l'histoire de sa lutte contre le cancer et d'en faire un livre pour que d'autres puissent partager son expérience et en bénéficier, nous l'avons tout de suite pris au sérieux et nous l'avons encouragé dans cette entreprise. Nous savions bien que Mathieu n'entreprendrait jamais rien sans aller jusqu'au bout et nous étions persuadés qu'il n'arrêterait pas tant qu'il n'aurait pas écrit son dernier mot. Il a mené son projet à terme avec acharnement et détermination, comme lorsqu'il jouait du violoncelle : il se fâchait contre lui-même tant qu'il n'avait pas trouvé le son, l'expression juste.

Au début, nous étions tout de même déchirés entre notre volonté de vivre cette expérience éprouvante dans l'intimité et le désir ardent de Mathieu de la communiquer, de la crier au monde. Nous avons vite été convaincus que son expérience de vie valait d'être connue, que le courage de Mathieu pouvait inspirer d'autres personnes touchées de près ou de loin par une maladie grave, comme il nous inspire nous.

Mathieu a toujours été pour son entourage une source de grande fierté. Il a beau dire, par modestie, qu'il ne se considère pas comme un héros ou un modèle à suivre, il sera toujours pour nous et, nous le souhaitons, pour tous ceux qui le connaîtront en lisant ce livre, un modèle de courage, de ténacité, de générosité et de vie.

Ghislain Savoie
Pierrette Froment-Savoie

Pourquoi j'écris ce livre

J'ai eu douze ans le mois dernier. J'ai commencé ce livre en avril 1990, quelques jours avant d'être hospitalisé à nouveau pour subir un autre traitement de chimiothérapie, au bout d'une année de lutte très dure contre mon cancer. Je me suis demandé s'il n'aurait pas été préférable d'attendre que la rémission soit bien confirmée pour que ce livre soit plutôt le récit d'une victoire sur le cancer. Mais mon médecin, le Dr Elisabeth Hsu, à qui j'ai un jour demandé si je guérirais, m'a répondu qu'elle ne le savait pas, que personne ne le savait et qu'il faudrait attendre que j'aie 70 ans avant de se prononcer. Il n'était pas question d'attendre jusqu'à l'an 2048 pour écrire le livre!

D'abord, en 2048, ou bien j'en aurai probablement trop à dire pour un livre, ou bien j'aurai oublié trop de détails importants. Et puis, qui sait, sans doute qu'en l'an 2048 les chercheurs auront finalement vaincu tous les cancers et que mon livre et cette maladie n'intéresseront alors plus personne, un peu comme le kuru aujourd'hui*.

Ce livre ne représente donc que quelques chapitres de ma vie. Un livre sans conclusion. La conclusion pourra bien attendre.

L'idée de raconter mon expérience de cette maladie que je craignais le plus au monde m'est venue de plusieurs personnes. La première fut madame Diane Blander, une amie de la famille, qui m'a donné en cadeau tout ce qu'il fallait pour écrire. Il y eut aussi ma directrice d'école, madame Claire Macauley. Un jour, elle m'a rendu visite à l'hôpital et m'a offert un livre sur les jeunes atteints de cancer. Elle m'a encouragé à écrire mon propre livre dans lequel je raconterais mes craintes, mes peines, mes découragements, mes angoisses, mais aussi mes joies, mes espoirs, mes rêves et mes projets.

Il m'a bien fallu huit mois avant de me décider. Mais je me suis d'abord assuré de l'aide de mes parents pour la rédaction du texte et pour la reconstitution des événements. J'ai décidé de raconter mon histoire non seulement pour me

_____

* Vous connaissez le kuru? Je parie que non... J'avais raison, vous ne saviez pas que le kuru est une maladie qui a disparu et dont on ne parle plus. Même les dictionnaires ont oublié ce mot! Moi, je l'ai trouvé en lisant le Livre des records Guinness et je le conserve en mémoire pour mes parties de scrabble avec mon père.

vider le cœur et pour faire partager une expérience dramatique qui a bouleversé toute ma vie et mes projets, mais aussi et surtout pour saluer ceux qui m'ont consolé, encouragé et inspiré, en souhaitant que ce livre serve à consoler, encourager et inspirer d'autres personnes. Je pense bien sûr à Lilas, à Jonathan, à Keith, à Angie, à Josée, à Kevin et aux autres compagnons de lutte à l'Hôpital pour enfants de l'est de l'Ontario, ainsi qu'à tous les autres enfants ailleurs dans le monde qui souffrent du cancer ou d'autres maladies menaçantes, comme mon confrère d'école, Steve, à qui on vient de faire une opération au cœur.

Tous les livres que j'ai lus jusqu'à présent sur le cancer avaient été faits par ou pour des enfants de moins de huit ans en langage enfantin, ou alors pour des adultes ou des médecins en langage compliqué. J'espère que tous ceux qui liront ce livre, jeunes ou vieux, le trouveront utile pour mieux comprendre cette maladie et la vie de ceux qui en sont atteints.

Il n'est pas facile d'écrire sur la maladie injuste qui m'a sauvagement attaqué dans le dos et paralysé, qui m'a cloué au lit et au fauteuil roulant, qui m'a fait perdre mes cheveux et le tiers de mon poids, qui m'a obligé à délaisser le violoncelle, qui a éloigné plusieurs de mes amis et qui m'a pris mes onze ans. Il est encore moins facile d'écrire sur ce sujet avec un brin d'humour. Je dois cependant beaucoup à l'humour: sans lui, il m'aurait été encore plus difficile de retrouver mon moral et mon goût de vivre. L'humour me fait sûrement autant de bien que la chimiothérapie et les radiations.

Je raconte donc mon expérience difficile en me laissant aller à un peu d'humour avec l'espoir que la lecture en sera plus agréable. En tout cas, la rédaction en aura été bien plaisante.

Le récit que je vais faire est celui de mes onze ans. Cependant, les trois premiers chapitres racontent des épisodes de ma vie avant mes onze ans: les deux premiers relatent mon enfance, l'autre porte sur grand-papa Hector. Ils sont essentiels pour bien comprendre comment je me sentais le 7 avril 1989 quand on a découvert une tumeur dans ma colonne vertébrale et que je me suis réveillé paralysé de tous mes membres, sauf de ma main gauche. Deux questions me tourmentaient continuellement l'esprit: mon rêve d'enfance de devenir un violoncelliste aussi bon que Yo-Yo Ma allait-il s'éteindre brutalement? Mais surtout, était-il en train de m'arriver le même sort qu'à grand-papa Hector, décédé seulement deux mois plus tôt d'un cancer agressif qui avait duré moins de six mois et qui, comme moi, l'avait paralysé?

Une enfance comme les autres, ou presque...

Mes ancêtres français sont enracinés en Amérique depuis plusieurs centaines d'années: en Acadie et en Gaspésie, du côté des Savoie-Lévesque, et dans les «Pays d'en haut» et en Haute-Gatineau, du côté des Froment-Clément. J'ai en tout seize oncles et tantes, treize cousins et cousines, et même trois petits-cousins.

J'ai eu l'immense chance de connaître tous mes grands-parents et même trois de mes arrière-grands-parents, tous les trois du Nouveau-Brunswick: arrière-grand-père Édouard (Eddy) et arrière-grand-mère Rosanne Savoie, ainsi que mon arrière-grand-père Louis Lévesque. J'aurais encore tous mes grands-parents si grand-papa Hector n'était pas décédé l'an dernier.

Je suis né à Hull le 30 mars 1978, ce qui me donne aujourd'hui tout juste douze ans. J'étais seul pendant les trois premières années à me faire gâter royalement jusqu'à ce qu'une sœurette ne me fasse perdre mon titre d'enfant unique. On m'a dit que j'ai très mal pris ça! Je me suis finalement résigné à mon sort quand j'ai reçu l'assurance que le nouveau bébé ne marcherait pas avant un an et qu'elle ne pourrait donc pas prendre mes jouets. C'est à cette condition que Julie est entrée dans ma vie. Une rouquine par-dessus le marché!

Je ne serais pas surpris si nos goûts très différents dans plusieurs domaines étaient le résultat de ce refus de lui céder ma place. Elle a en effet des goûts bien à elle et bien différents des miens. Par exemple, j'ai toujours aimé faire de la musique alors que Julie a toujours obstinément refusé d'en faire. Elle préfère plutôt la peinture. J'adore la musique classique tandis que Julie n'aime que le rock. Julie est plutôt végétarienne alors que je raffole des viandes. Julie a horreur d'aller au restaurant et moi j'adore ça. Julie est plutôt timide et renfermée tandis que moi j'aime bien aller au-devant des autres, jeunes ou vieux, et leur parler. Mes parents pensent que Julie et moi, on se complète. Je pense plutôt qu'on s'oppose. Mais la vie serait bien terne sans Julie.

On me dit que j'étais un enfant exigeant, turbulent, agité et même hyperactif. Je commençais mes diableries tôt le matin et je m'arrêtais d'épuisement tard le soir. Je refusais carrément de dormir, même à la garderie quand tous les autres enfants faisaient la sieste! À court d'idées et de moyens pour m'endormir, mon père, paraît-il, me faisait faire des tours du bloc en voiture dans l'espoir de venir à bout de moi... mais c'était peine perdue: dès qu'il me déposait dans mon lit, le bal repartait.

Cette horreur que j'ai de dormir m'est restée et c'est aujourd'hui encore ma plus grande phobie, après les hôpitaux, bien sûr! Cette hantise du sommeil est encore plus forte que ma crainte des ascenseurs qui remonte à ce jour où je suis resté pris au piège avec grand-papa Louis, pendant des minutes interminables, dans un ascenseur en panne de la Maison du Citoyen, la superbe mairie de Hull.

Il fallait toujours m'avoir à l'œil car je disparaissais rapidement. Avant même d'avoir trois ans, j'ai «emprunté» les clefs que papa avait laissées sur la table, je suis monté en douce dans sa voiture et j'ai démarré le moteur. Malheureusement, papa a surgi trop vite pour que j'aie le temps d'aller faire un tour...

Et que dire de cette fois, quand j'avais trois ans, où j'ai disparu de notre table au restaurant et suis revenu quelques minutes plus tard les mains pleines de pièces de vingt-cinq cents que j'avais mendiées aux autres tables, au grand embarras de mes parents... J'en rougis moi-même de honte quand j'y pense aujourd'hui.

Il m'est arrivé plus d'une fois d'échapper à l'attention de mes gardiens. Un jour, alors que je n'avais pas encore quatre ans, dans un grand magasin à rayons, j'ai déjoué l'attention de mon grand-père Louis et je me suis éclipsé. Après plusieurs minutes de recherches paniques, grand-papa entendit le haut-parleur du magasin l'appeler au comptoir des renseignements. Je m'étais moi-même «porté disparu» en allant m'identifier à une caissière et en demandant qu'on prévienne grand-papa de venir me chercher. Cette facilité à m'avancer et à parler aux gens m'a beaucoup servi jusqu'à maintenant, et pas seulement pour retrouver mon chemin dans un magasin à rayons.

Quand je pense au garnement que j'ai été, je plains mes pauvres parents, mes grands-parents Froment et les autres gardiens et gardiennes que j'ai dû exaspérer (pauvre Judith Pelletier, pauvre Jeanne Lapointe, pauvre Ponciano Mendoza...)

Heureusement pour eux, je n'ai pas continué à dépenser toutes mes énergies à des espiègleries. Je me suis fait de bons copains qui le sont toujours restés: Marianne, Stéphanie, Xavier, Liviu, Éloi, Daniel, Fabio, Martin, Van Thanh et bien d'autres. Ensemble, nous nous sommes bien amusés: nous avons fait beaucoup de vélo, nous sommes allés au cinéma, aux musées, au terrain de jeux, à la piscine et en forêt, et nous avons joué à toutes sortes de jeux de société, sans oublier évidemment les jeux électroniques.

Mes parents ont aussi beaucoup fait pour que Julie et moi ayons une enfance comblée à tout point de vue.

Ils ont inscrit Julie à des cours de ballet et moi à des cours de diction et de théâtre. Il m'ont aussi fait prendre des cours de musique, mais j'y reviendrai. Très jeune, papa et maman m'amenaient régulièrement aux concerts, à la bibliothèque, au cinéma, aux musées et dans les restaurants (français ou chinois de préférence!). Il ne s'est d'ailleurs pas passé une seule semaine sans que nous ayons eu plusieurs activités intéressantes au programme.

Nous sommes allés très souvent nous promener et pique-niquer dans le parc de la Gatineau ou au lac Leamy et nous baigner dans le fameux lac Meech. L'hiver, nous avons fait du ski de fond et du toboggan au Lac des Fées et aux chutes Dunlop. Et que dire des superbes randonnées que nous avons faites en train à vapeur d'Ottawa à Wakefield, et des sorties à la cabane à sucre, au Festival des outardes de Plaisance, au Bal de neige sur le canal Rideau (la plus longue patinoire au monde!), aux fêtes du 24 juin, aux feux d'artifices du 1er juillet et à la foire annuelle d'Ottawa avec ses manèges étourdissants, ses barbes à papa multicolores, et ses jeux d'adresse... où je n'ai jamais rien gagné.

Mais attendez, ce n'est pas tout, loin de là! Nous avons aussi effectué de merveilleux voyages qui nous ont fait voir bien du pays. Nous sommes allés des dizaines de fois dans la Haute-Gatineau visiter la parenté de grand-maman Éva, et nous amuser au chalet rustique de grand-papa Louis au lac Poirier, près de Maniwaki.

Nous sommes même presque allés en Afrique! Nous avons visité le parc Safari au sud de Montréal, où on circule en voiture parmi les animaux sauvages en liberté: autruches, cerfs, zèbres, éléphants, girafes, gazelles, singes, chameaux, lions, buffles... La vraie savane africaine! Maman avait une peur bleue, elle qui tremble d'effroi à la vue d'un lapin... en photo! Papa lui a joué un vilain tour: nous nous promenions en voiture parmi les autruches, qui font 2,5 mètres de hauteur; avec la télécommande, papa baissa la vitre de l'auto du côté de maman sans qu'elle s'en aperçoive; l'autruche entra sa tête et son long cou tout entier dans la voiture et fixa maman dans les yeux. Je parie que cette autruche est maintenant sourde...

Deux fois par année, l'hiver et l'été, nous allons à Saint-Quentin au Nouveau-Brunswick chez mes grands-parents Savoie. Nous nous amusons ferme à leur chalet avec mes cousins et cousines, Stéphane, Vicki, Lucie, Isabelle, Christian, Nathalie, Édith et la toute dernière, Hélène. J'aimais particulièrement faire du VTT (véhicule tout terrain), 4-roues. Cependant, la dernière fois que j'en ai fait, tante Carolle m'a enlevé les clefs. Elle trouvait que je conduisais trop vite.

Nous partons souvent de Saint-Quentin pour faire d'autres excursions dans l'est, comme cette merveilleuse semaine que nous avons passée dans la roulotte d'oncle Reynald sur la côte gaspésienne à nous prélasser au soleil, à nous baigner dans la Baie des Chaleurs, et à «pêcher» de délicieuses coques avec une pelle. Ou encore, ce beau voyage au célèbre rocher Percé pendant un tour de Gaspésie où nous avons amené mon ami Éloi.

Que de beaux souvenirs! Mais la cerise sur le gâteau, ce fut cette superbe semaine passée en Floride au cours du congé de Noël 1987. Nos parents nous ont fait réaliser un rêve que Julie et moi caressions depuis toujours: visiter le monde de Walt Disney! Et nous n'avons pas été déçus, loin de là. C'est un lieu vraiment enchanteur. Même les longues files d'attente ne nous ont pas empêchés de voir deux, parfois même trois fois les mêmes attractions. Je conseille à tous ceux qui auront un jour cette chance unique de ne pas manquer la maison hantée et le repaire des pirates, et le voyage en véritable sous-marin comme celui du capitaine Nemo, et la randonnée en bateau à aubes, et la parade nocturne, et... enfin tout!

Nous avons aussi passé toute une journée à visiter Epcot Center, juste à côté, avec sa grosse sphère géodésique, la plus grande au monde, et ses superbes pavillons thématiques (l'énergie, les communications, le mouvement, l'imagination, etc.). Ils sont tous très imposants et très instructifs. Imaginez un instant les centaines de sièges d'un cinéma qui se déplacent d'un bloc d'une salle à l'autre, des superécrans circulaires et paraboliques avec toutes sortes de films très impressionnants à deux ou trois dimensions, des jeux de sons, de lumières et d'hologrammes ingénieux, des robots et des automates très réalistes et des feux d'artifice époustouflants, dans un décor éblouissant de verdure, de fleurs et d'eau.

Je m'en voudrais d'oublier aussi tous ces merveilleux pavillons qui représentent une dizaine de pays, avec chacun un restaurant authentique, des manifestations culturelles et une réplique d'un monument célèbre du pays: le

Temple du Soleil de Pékin, le palais des Doges de Venise, la tour Eiffel de Paris, une pyramide aztèque du Mexique, un torii et une pagode du Japon, un minaret et une mosquée du Maroc, le Château Laurier d'Ottawa et d'autres encore. Nous avons dégusté un délicieux repas au grand restaurant du pavillon de la France, en compagnie de Bretons bien sympathiques et au son d'airs parisiens.

Ce beau voyage en Floride a été couronné par un séjour sur la plage de Daytona Beach et par une visite à la célèbre base de lancement de fusées du Cap Canaveral (maintenant Cap Kennedy). C'est de là que sont partis les premiers hommes qui ont marché sur la Lune, et de nombreuses autres expéditions spatiales, dont la mission Challenger G-41, qui a mis en orbite le seul astronaute canadien à ce jour, Marc Garneau, héros avec qui j'ai récemment eu le privilège de bavarder. Je vous en reparlerai plus tard; faites-y moi penser.

Quand on voit un lancement de fusée à la télé, on a peine à imaginer l'ampleur des équipements et des installations. Vu sur place, tout est gigantesque: les rampes de lancement avec d'énormes échafaudages; le colossal véhicule à chenilles pesant des milliers de tonnes qui se déplace à deux kilomètres à l'heure pour transporter les fusées aux rampes; un hangar géant avec une porte aussi haute qu'un édifice de 60 étages; de très grosses fusées, dont une Saturne 5 de 105 mètres et de 2 800 tonnes poussée par 160 millions de chevaux-vapeur (imaginez le foin que ça prend pour les nourrir!); des salles de contrôle à rendre malade de jalousie un joueur de Nintendo comme moi et, tout autour, des marais infestés d'alligators (on nous a avisés d'y penser deux fois avant d'aller faire pipi derrière un buisson!)

Nous sommes revenus à Hull en Boeing 737. C'est bien peu comparé aux fusées Saturne 5, mais c'est quand même très excitant. Il s'agissait de mon huitième voyage en avion! J'ai toujours été un peu craintif en avion, mais j'adore ce mode de transport. L'aviation est même devenue pour moi une passion. Je vais souvent aux aéroports de Gatineau et d'Ottawa pour voir les avions décoller et atterrir. J'ai beaucoup lu sur le sujet, j'ai placardé ma chambre de posters d'avions et je me suis procuré deux logiciels de simulation de vol. Je suis devenu un as de l'aviation sur ordinateur, en attendant de devenir peut-être un jour un pilote aux commandes d'un vrai appareil, pour réaliser tous mes projets de voyage.

Le récit de mon enfance ne s'arrête pas là. Il serait loin d'être complet si je ne vous parlais pas de ma passion pour la musique.

Ma passion pour la musique

J'ai toujours baigné dans la musique, même dans le ventre de ma mère. Elle est pianiste et elle donnait beaucoup de concerts quand elle me portait. Je me demande même si je ne suis pas né en chantonnant les airs que j'entendais du fond de son ventre. La musique occupe une place très importante dans ma vie depuis ma plus tendre enfance.

Tout me destinait à la musique. La famille de papa compte plusieurs musiciens (ses oncles Bernard et Guy, ses cousines Mona et Lucille, pour ne nommer que ceux-là). Mais je crois que mon goût pour la musique et les arts me vient surtout du côté de la famille de maman, à commencer bien sûr par maman elle-même qui est pianiste professionnelle et professeure au Conservatoire de Hull.

Mais toute la famille de maman s'adonnait à une forme d'art ou une autre: sa parenté compte plusieurs «violoneux» pas piqués des vers, dont grand-maman Éva et grand-cousin Urgel.

Grand-papa Louis, qui n'a fait que l'école primaire, est un autodidacte qui est devenu directeur d'une grande école de métiers. Il est un dessinateur et un sculpteur sur bois admirable qui continue, à 84 ans, à nous émerveiller avec ses superbes sculptures et ses travaux de lutherie. Oncle Serge est aussi un bon dessinateur qui a fait des études en dessin architectural. Deux des enfants d'oncle Pierre, Philippe et Marie-Josée, ont fait longtemps du ballet, tandis que Johanne, la fille d'oncle Gilles, mon parrain, a étudié le piano. Enfin, Gisèle, la sœur de maman, qui, à 19 ans, est décédée accidentellement à Paris en 1954, avait étudié le piano, le violon et le ballet, et était promise à une brillante carrière au théâtre. Elle étudiait à la Sorbonne et au Conservatoire de Paris avec le célèbre homme de théâtre Jean-Louis Barrault.

Il n'est donc pas très surprenant si j'ai eu, très tôt, un goût pour les arts et en particulier pour la musique. Comme tous les bébés, j'ai eu des flûtes, des xylophones, des tambours et des pianos jouets, mais on me dit que j'aimais surtout ramper jusqu'au piano de maman, m'agripper au banc et pianoter. Évidemment, ça donnait de la musique moderne, très moderne, même futuriste...

À quatre ans, j'étais suffisamment prêt pour prendre des leçons de musique. Sans doute pour me démarquer de maman, j'ai manifesté une préférence pour le violon. J'ai étudié pendant deux ans avec Danielle Sirois et Bertrand Crépault.

Mon premier violon est très spécial et je le conserverai toujours comme un précieux souvenir de mes deux grands-pères. On pourrait même dire que c'est un violon à deux «âmes»: le mini-violon a été fabriqué pour mon deuxième anniversaire de naissance par grand-papa Louis avec du bois provenant de la scierie de grand-papa Hector! Et pas n'importe quel bois. Le dos du violon est fait d'érable à sucre «piqué», c'est-à-dire avec plein de petits yeux naturels formés dans le bois. Grand-papa Louis dit que c'est sans doute un des bois les plus difficiles à sculpter à cause de ces yeux. La table d'harmonie est faite de sapin, comme il se doit. Ce bijou, couvert de vernis transparent pour ne pas cacher les yeux du bois, a une sonorité toute spéciale à mon oreille.

Dès l'âge de quatre ans, j'aimais bien me produire devant un public. Je ne me faisais donc pas prier pour jouer devant les visiteurs. À défaut de public, je m'exhibais sur le trottoir de l'école en face de chez moi pour me faire entendre des maîtresses et des écoliers. J'avais là un auditoire captif qui semblait aussi captivé...

À six ans, j'ai assisté à une répétition d'un orchestre à cordes qui interprétait une composition de maman. C'est alors que j'ai été séduit par le son envoûtant du violoncelle et j'ai aussitôt demandé à changer d'instrument. La transition n'est pas facile, car les cordes du violoncelle sont inversées par rapport à celles du violon, mais le changement s'est vite fait. J'ai passé une audition au Conservatoire de musique du Québec à Hull et j'ai été accepté dans la classe de monsieur André Mignault.

Mon premier concert à la radio a eu lieu quand je n'avais que six ans. J'ai joué de petites pièces sur les ondes de Radio-Canada. J'aimais beaucoup jouer en public. J'ai participé comme soliste à de nombreux concerts et j'ai aussi joué à d'autres occasions. Par exemple, mon école montait une pièce de théâtre et c'est moi qui jouait la musique de fond.

J'ai même signé un contrat avec le Théâtre de l'Île, un théâtre professionnel de Hull: je jouais, au violoncelle, une pièce d'ouverture de plusieurs minutes après la levée de rideau.

Au Conservatoire, je me suis aussi inscrit à des cours de théorie musicale et de solfège avec madame Masella et avec monsieur Samyn. J'ai toujours obtenu d'excellents résultats et je progressais beaucoup plus vite que ceux de mon âge. J'ai été inscrit au premier cycle dès ma deuxième année et on prévoyait que j'atteindrais le niveau supérieur, c'est-à-dire le niveau Concours, à quinze ans, ce qui est extrêmement rare.

En 1988, Hydro-Québec m'a offert un prix spécial pour avoir obtenu la note finale de 94 pour cent en violoncelle, ce qui était la note la plus élevée de tous les conservatoires du Québec pour cet instrument difficile à maîtriser pour un jeune. Il exige une forte main.

Toutes les fois que j'ai participé à des concours ou des festivals, notamment au Festival annuel d'Ottawa, j'ai remporté des prix, la plupart du temps des premiers prix. Quand on me décernait un deuxième prix, j'étais un peu déçu. Je me distinguais particulièrement dans les épreuves d'études rapides: les juges imposent une pièce et ne donnent qu'une journée pour l'apprendre et la jouer. J'ai en effet toujours eu beaucoup de facilité à mémoriser rapidement des pièces. J'ai aussi obtenu un premier prix en duo avec Pierre Lapointe au violon.

Même si je préférais jouer en solo, j'ai pris goût à jouer dans des orchestres à cordes et dans des quatuors. J'ai été premier violoncelle dans l'Orchestre du Conservatoire; j'étais aussi parmi les violoncellistes «senior» de l'Orchestre à cordes des jeunes d'Ottawa sous la direction de Janos Csaba. J'allais seulement au coude des autres musiciens de cet orchestre! J'ai participé à plusieurs concerts publics donnés par ces ensembles.

Je faisais de la musique de façon intensive, mais sans nuire à mes cours réguliers à l'école Jean-de-Brébeuf. Au cours de l'été 1988, j'ai même participé à deux camps musicaux grâce à une bourse que j'ai obtenue de monsieur Jack Blander pour mes succès au Festival de musique d'Ottawa. Dès la fin de mes cours à l'école, je me suis inscrit à un camp musical en banlieue d'Ottawa. J'ai étudié le violoncelle avec Pawel Szymczyk-Marjanovic, j'ai fait de la musique de chambre avec Ioan Harea et j'ai fait partie de l'orchestre dirigé par John Gomez. J'ai joué en concert avec l'orchestre, mais j'ai surtout joué en solo, notamment à l'École des beaux-arts du Marché d'Ottawa et à la Cour des Arts, aussi à Ottawa.

Au cours du même été 1988, j'ai participé à un autre camp musical, cette fois à Saint-Adolphe-d'Howard dans les Laurentides. Ce camp d'été, fondé par Raymond Dessaints, réunit d'excellents musiciens et professeurs de partout au Québec et d'ailleurs. Ma professeure de violoncelle, Carla Antoun, qui est venue d'Autriche pour enseigner au camp, était très gentille et patiente.

J'ai fait partie de l'Orchestre Amati dirigé par le chef Jacques Lacombe. Jacques et Carla m'ont consacré beaucoup de leur temps très précieux. Ils ont même passé une nuit blanche à transcrire pour orchestre la Sonate en *mi* mineur de Romberg, seulement pour moi!

J'ai joué plusieurs fois avec l'Orchestre Amati et, à la toute fin du camp, j'ai même eu le privilège de jouer comme soliste avec l'orchestre des professeurs du camp! J'ai eu droit à une ovation de la foule.

De retour chez moi, j'ai été invité à me joindre à un quatuor à cordes d'Ottawa et nous répétions ensemble plusieurs fois par semaine en préparation du Festival d'Ottawa. Malheureusement, un vilain mal de coude m'a empêché de continuer jusqu'au Festival, en avril 1989.

J'allais souvent aux concerts du Centre national des arts à Ottawa où jouent tous les grands noms de la musique. Vous vous imaginez bien que lorsque Yo-Yo Ma, le plus grand violoncelliste au monde, était en ville je ne ratais jamais son concert. À la fin de ses récitals, je me rendais toujours dans les coulisses pour le saluer et pour lui dire combien j'avais aimé son concert. La première fois, Yo-Yo Ma s'est mis à genoux pour être à ma hauteur et il m'a parlé pendant près d'une demi-heure dans cette position même si une foule d'admirateurs attendaient pour le voir. Yo-Yo Ma est chinois, mais il parle couramment le français car il est né en France. Nous avons parlé évidemment de violoncelle. Il m'a demandé quelles pièces je jouais et il a tout noté par écrit.

Une année plus tard, je suis encore allé dans les coulisses après son concert et cette fois, j'ai eu tout un frisson de joie. Il était à une certaine distance de moi et, aussitôt qu'il m'a vu, il m'a fait signe de la main en criant «Bonjour Mathieu!» Il s'était souvenu de moi et de mon nom un an après notre première rencontre!

Yo-Yo Ma fait une carrière internationale et il est très souvent en tournée de concerts partout dans le monde, mais il vit maintenant aux États-Unis. Nous avons échangé quelques lettres. Je comptais bien devenir son élève un jour et suivre ses traces. C'était mon rêve le plus cher!

Mais en attendant de réaliser ce rêve, j'avais d'autres ambitions plus immédiates. Je voulais à tout prix devenir un lauréat du prestigieux Concours de musique du Canada. Quand on obtient un tel honneur, on peut tout espérer, même faire un jour une carrière internationale comme Yo-Yo Ma!

Je me suis inscrit au Concours de musique du Canada et les compétitions devaient débuter en mai 1989. Malheureusement, une sale maladie a abruptement mis fin à ce rêve le 7 avril 1989, exactement un mois avant ma participation au Concours!

Grand-papa Hector

Aux fêtes, nous allons toujours à Saint-Quentin au Nouveau-Brunswick chez grand-père et grand-mère Savoie. Pour Noël 1988, nous avons voté à l'unanimité pour le train plutôt que la voiture ou l'avion. C'était la troisième fois que nous voyagions ainsi. Les trains sont bondés de monde pendant les congés, mais nous réservons toujours une chambre dans le wagon-lit, à l'écart du vacarme des fêtards et des vacanciers qui chahutent toute la nuit.

Pendant cette odyssée d'une vingtaine d'heures, Julie et moi nous amusons beaucoup. Nous allons toujours fureter dans les autres wagons pour voir ce qui s'y passe et pour aller jusqu'au wagon-restaurant. Mais ce que nous aimons par-dessus tout, c'est la chambre elle-même, minuscule, avec ses deux lits superposés, son cabinet de toilette et son lavabo miniatures, et ses très nombreux petits compartiments, un pour chaque chose, même pour les souliers à faire cirer pendant la nuit.

Malgré ses petites dimensions, la chambrette a bien une bonne dizaine de lampes et de commutateurs, un thermostat et un petit ventilateur, ce qui la fait ressembler à l'habitacle étroit d'une fusée Saturne 5 en route pour la Lune qui pourtant, cette nuit-là, nous suivait, fixe, dans le hublot panoramique.

C'est vrai qu'elle est grande cette fenêtre! On y voit défiler à travers la poudrerie et la vitre givrée par la nuit glaciale de nombreux petits villages qui scintillent de leurs mille ornements de Noël: Villeroy, Saint-Jean-Port-Joli, Saint-Roch-des-Aulnaies, Kamouraska, Trois-Pistoles, Saint-Mathieu (!), Le Bic, Lac-au-Saumon... Nous avons fredonné toute la nuit cet air bien connu du temps des fêtes de Muriel Millard, intitulé *Nos vieilles maisons*, qui parle de voyage à Saint-Quentin:

> Si vous voyagez un brin
> Du côté de Saint-Quentin
> Dites bonjour à mes parents
> Qui habitent le septième rang...

Mes parents n'ont pas cessé de nous dire d'aller au lit, de nous reposer pour les jours de festivités qui allaient suivre. C'était plus fort que nous. Nous ne voulions pas nous coucher tellement nous étions excités.

Les lits sont très étroits: à peine un mètre chacun. Julie partageait le lit du bas avec ma mère tandis que mon père et moi partagions celui du haut. On y monte par une petite échelle que Julie et moi avons gravie cent fois. C'est amusant de s'endormir bercé par le train, surtout dans le lit du haut qui balance davantage. (En effet, papa m'a expliqué que le lit du haut oscille plus parce qu'il est plus éloigné de son axe de rotation, c'est-à-dire de la voie ferrée.)

Pourtant, cette nuit-là, je me suis réveillé souvent, à chaque arrêt du train. J'ai ressenti pour la toute première fois un mal étrange au coude droit. Était-ce d'avoir aidé à porter des bagages trop lourds? Nous n'y avons pas prêté beaucoup attention, pensant qu'il s'agissait d'une douleur passagère...

Vers sept heures du matin, le chef de train est venu nous réveiller en annonçant: «Campbellton dans vingt minutes».

C'est là que nous descendons avant de parcourir en automobile les derniers cent kilomètres jusqu'à Saint-Quentin. C'est grand-papa Hector qui, habituellement, venait nous chercher au train, mais pas ce Noël-là... Tante Carolle et ma cousine Lucie nous attendaient.

Grand-papa Hector était gravement malade. Il avait le cancer. Lui qui, à peine six mois auparavant, était bien portant et avait même passé un mois aux îles Canaries avec grand-maman Anita.

35

Il souffrait d'arthrite à une hanche, sans plus. Ils nous avaient rendu visite en juillet en attendant son entrée à l'hôpital d'Ottawa afin de subir une opération mineure pour remplacer la boule du fémur par une boule en métal et en téflon dans l'espoir de se débarrasser de son arthrite.

Après l'opération, grand-papa n'a jamais vraiment pu se relever. Ses deux jambes étaient paralysées. Les médecins ne comprenaient pas pourquoi. Après quelques autres interventions et examens, ils ont finalement découvert une grosse tumeur maligne — donc cancéreuse — qui faisait une pression sur sa colonne vertébrale et qui lui paralysait le bas du corps.

On l'opéra d'urgence pour lui enlever la tumeur. Pendant ses trois mois d'hospitalisation à Ottawa, nous sommes allés le voir tous les jours. Il avait un très bon moral et était bien confiant de se rétablir avant longtemps. Il fut transféré en avion-ambulance à Fredericton au Nouveau-Brunswick pour être plus près des siens pendant sa convalescence et sa réhabilitation.

Il commença à remonter la côte et retourna à Saint-Quentin en novembre avec bon espoir de guérir. Mais, du jour au lendemain, une grosse bosse est apparue sous son bras. Il dut retourner à Fredericton où les médecins constatèrent qu'il s'agissait d'une métastase, c'est-à-dire de cellules cancéreuses qui s'étaient transportées ailleurs dans le corps et avaient grossi pour former une autre tumeur.

Il rentra à l'hôpital de Fredericton où on dut lui enlever tout un muscle sous le bras. Grand-papa était déprimé. À l'approche de Noël, il demanda qu'on le laisse passer les fêtes avec les siens. Cette faveur lui fut accordée.

Grand-papa arriva à Saint-Quentin le jour de notre arrivée en train. Nous étions tous là pour l'accueillir. Mon père et mes oncles l'aidèrent à entrer. Grand-papa était visiblement très heureux d'être chez lui, mais semblait souffrir beaucoup de ses opérations.

Tout fut mis en œuvre pour lui offrir un Noël formidable. La maison était super-décorée, dehors comme dedans, avec un beau sapin baumier, un vrai, débordant d'ornements et de cadeaux. Grand-maman Anita et mes tantes se surpassèrent pour préparer un festin à chaque repas et un réveillon somptueux, avec tous les plats traditionnels: tourtières, dinde à l'atoca, six-pâtes au gibier (perdrix, lièvre, chevreuil et orignal), aspics, hors-d'œuvre, bonbons, biscuits, galettes, bûche de Noël et gâteaux de toutes les couleurs et de toutes les formes, le tout arrosé de bons vins et de punch aux fruits.

Tous les oncles et les tantes, cousins et cousines, étaient de la partie et la maison était joyeusement animée par la musique des fêtes, les histoires drôles d'oncle Sylvio, et le tintamarre des enfants qui criaient, couraient et sautaient.

Le moment toujours tant attendu est enfin arrivé: la distribution des cadeaux. Le rôle du Père Noël est habituellement tenu par un des trois costauds de la famille: oncle Gérald, oncle Sylvio ou oncle Reynald. Cette fois-là, je crois bien avoir reconnu oncle Sylvio, à moins que ce ne fût le vrai Père Noël? Nous arrachions les emballages à qui mieux mieux en criant de joie et en comparant nos trouvailles.

Pour finir la soirée en beauté et pour égayer grand-papa, mes cousins et cousines avaient préparé des petits numéros: des chants, des comptines et des poèmes. Grand-papa a beaucoup apprécié. Aux petites heures du matin, tout le monde est rentré chacun chez soi. Grand-papa, chez qui nous dormions, était très fatigué de cette soirée si remplie, mais il en a savouré chacune des minutes et cette journée a dû lui paraître bien courte malgré tout.

Nous n'allons jamais à Saint-Quentin sans recevoir des invitations à dîner chez nos oncles et nos tantes. À une de ces soirées chez oncle Gérald, j'ai encore ressenti le mystérieux mal de coude qui m'avait empêché de dormir dans le train. J'en ai parlé à mon grand-oncle Guy, qui est médecin. Il n'était pas en mesure de se prononcer, comme ça, à première vue, et il m'a conseillé d'aller me faire examiner à mon retour à Hull si le mal persistait.

Grand-papa Hector est resté chez lui jusqu'après Noël, mais son état s'est détérioré. Il se plaignait de maux de tête. Le frère de grand-papa Hector, Bernard, qui est lui aussi médecin, a dû venir le voir plusieurs fois et il l'a fait hospitaliser à Saint-Quentin. Nous avons rendu visite à grand-papa à l'hôpital, juste avant de rentrer à la maison. Nous sommes arrivés à Hull le 28 décembre car nous avions promis à grand-papa Louis et à grand-maman Éva d'aller passer le Jour de l'An avec eux.

Peu de temps après, grand-papa fut transféré à Fredericton, puis dans un hôpital de Saint-Jean au Nouveau-Brunswick où l'on découvrit une autre métastase, cette fois au cerveau. Les médecins conclurent qu'il n'y avait plus rien à faire. Il fut donc à nouveau reconduit en ambulance jusqu'à l'hôpital de Saint-Quentin. Les ambulanciers ont trouvé bien court ce long trajet de 500 kilomètres jusqu'à Saint-Quentin, car grand-papa leur a raconté en détail tous les beaux voyages qu'il avait effectués avec grand-maman dans les pays chauds au cours des dernières années.

Le 19 janvier, papa a reçu un appel téléphonique de tante Guy-Anne, qui est infirmière, et qui était au chevet de grand- papa, pour nous prévenir qu'il était dans le coma et qu'il lui restait peu de temps à vivre.

Nous sommes partis en voiture aussitôt que nous avons pu, vers 17 heures, avec l'intention ferme de nous rendre jusqu'à Saint-Quentin d'un trait, soit en une dizaine d'heures de route. La météo annonçait une tempête de neige en soirée. Nous devancions la tempête qui était poussée pas des vents d'ouest, mais elle nous a finalement rattrapés près de la ville de Québec. Papa voulait malgré tout la braver et poursuivre sa route à tout prix jusqu'à Saint-Quentin sans ralentir. Mais ma sœur et moi étions trop épuisés et nous avons dû nous arrêter pour dormir à Saint-Jean-Port-Joli vers minuit, au grand regret de papa.

Nous avons repris notre route le lendemain matin. Arrivé à Saint-Quentin, papa est allé directement à l'hôpital. Nous sommes arrivés trois heures trop tard. Grand-maman nous a dit que grand-papa avait mis beaucoup de temps à s'éteindre, comme s'il avait voulu attendre que papa soit là.

Il est décédé à l'âge de 66 ans, le 20 janvier 1989, à peine six mois après qu'on eut diagnostiqué son cancer.

J'aimais beaucoup grand-papa Hector. Tout le monde l'aimait beaucoup. Il y avait sûrement plus de 800 personnes à ses funérailles malgré la tempête et le froid sibérien.

La vie de grand-papa Hector

C'est en revoyant la vie de grand-papa Hector dans ma tête que je suis revenu à Hull le 23 janvier 1989, le cœur bien lourd. Il faut absolument que je vous parle de ce personnage courageux qui a connu une vie difficile sans le laisser paraître et qui n'a pu aller jusqu'au bout de ses rêves à cause du cancer.

Grand-papa Hector a passé sa vie à se donner aux autres. Aîné des garçons d'une grosse famille de onze enfants, il était un brillant écolier, mais il avait dû abandonner l'école après la huitième année pour subvenir aux besoins de sa famille et aider son père à payer les études de ses cadets. Comme son père Eddy, grand-papa Hector est devenu mesureur de bois, «scaleur» ou «culleur», comme disent les bûcherons; il fut aussi commis dans des exploitations forestières.

Mes grands-parents Savoie se sont mariés en 1944. Jacques, leur premier fils, est né en 1945. Il est mort d'une pneumonie à l'âge de deux mois. Ils ont eu six autres enfants.

Mes grands-parents ont trimé dur pour élever leur famille. Au début des années cinquante, grand-papa a passé trois longues années à l'hôpital à combattre la tuberculose et il a perdu un poumon à la suite d'une embolie.

À la même époque, mon père, Ghislain, qui n'avait que quatre ans, est entré dans un hôpital de Moncton, ville située à 500 kilomètres de chez lui, pour soigner une tumeur blanche au genou qui était apparue à la suite d'un accident. Il n'est ressorti de l'hôpital qu'à l'âge de six ans sans jamais avoir vu ni son père, ni sa mère pendant ses deux longues années d'hospitalisation. Grand-papa Hector a été très peiné que son fils ne le reconnaisse pas à son retour.

Puis, ce fut au tour de grand-maman Anita de passer une année au sanatorium. Les six enfants, âgés de un an à huit ans, furent placés chez des parents. Il est facile de s'imaginer que la vie des Savoie n'était pas bien rose à cette époque.

Grand-papa avait finalement pu reprendre son métier de mesureur de bois et il s'est souvent targué de n'avoir jamais été au chômage de sa vie. Plus tard, une société l'engagea pour gérer une scierie. Après plusieurs années à leur service, il décida d'acheter l'usine. Le jour même de la transaction, l'inventaire de bois du moulin passa au feu! Quelques années plus tard, un autre incendie ravagea l'entreprise et grand-papa dut repartir encore une fois à zéro. Il a failli tout perdre, même sa maison, mais à force de persistance et de courage, il a réussi à s'en sortir. Oncle Jean-Claude a uni ses forces aux siennes et, ensemble, ils ont remis l'entreprise sur pied. Oncle Reynald, tante Carolle et oncle Gérald se sont par la suite joints à l'équipe.

Grand-papa et grand-maman se sont long-temps privés de voiture et de bien des petits plaisirs de la vie afin de pouvoir payer des études postsecondaires à chacun de leurs six enfants. Ce qu'ils ont réussi. Ils ont pu joindre les deux bouts en faisant du travail supplémen-taire: grand-papa travaillait les soirs et les fins de semaine comme projectionniste au cinéma Montcalm et grand-maman tenait un petit com-merce de crème glacée.

Un des rares plaisirs qu'ils se sont offerts, pour notre grand bonheur à tous, fut l'achat d'une terre boisée sur laquelle coule un ruis-seau. Grand-papa a éclusé le ruisseau et a créé un petit lac artificiel qui s'est vite rempli de truites mouchetées, les meilleures selon mon père. Il a transformé un ancien petit hangar en chalet bien confortable où nous allons chaque été reprendre contact avec les parents, les cousins et cousines, et avec la nature.

Nous avons passé de merveilleux moments en compagnie de grand-papa dans son petit paradis à nous baigner, nous promener en pédalo et en chaloupe, cueillir des fruits sauvages, nous amuser avec ses chiens, Copain et Putchi et, bien sûr, à pêcher. C'est d'ailleurs grand-papa qui m'a montré à pêcher, au grand regret des truites...

Une fois que leurs enfants ont quitté la maison, chacun de leur côté, grand-papa Hector et grand-maman Anita ont finalement commencé à vivre un peu pour eux-mêmes. Ils ont acheté une voiture, ils ont rénové leur maison et ont enfin pu faire plusieurs voyages exotiques auxquels ils avaient longtemps rêvé: en Floride, au Mexique, à Hawaï, en Espagne et aux îles Canaries. À 60 ans, grand-papa a même pris des cours d'espagnol! La France aurait été sa prochaine destination.

Le cancer était bien injuste de venir chercher grand-papa quand il commençait à peine à s'offrir des plaisirs et à jouir de sa retraite. J'ai très fortement et ardemment souhaité ne jamais avoir cette satanée maladie, la pire de toutes!

Le circuit des spécialistes

C'est durant cette période de décembre et janvier que j'ai commencé à faire la tournée des médecins pour qu'ils soignent mon mal de coude qui réapparaissait de plus en plus souvent et devenait toujours plus lancinant.

Dès notre retour des vacances de Noël, j'ai suivi le conseil d'oncle Guy et j'ai décidé d'aller me faire examiner par mon médecin. Mais en pleine période des fêtes, il était impossible de prendre un rendez-vous. Je suis donc allé à l'urgence de l'hôpital de Hull. J'y suis même allé plusieurs fois, jour après jour. Le premier médecin qui m'a examiné sommairement a avancé toutes sortes d'hypothèses abracadabrantes sur les causes de mes douleurs. Je n'ose même pas en parler tellement c'était farfelu!

Les autres médecins que j'ai consultés étaient plus sérieux et ils ont tenté de remonter aux sources du mal. Je leur ai dit que cette douleur vive au coude était apparue pour la première fois le 22 décembre 1988. Les docteurs m'ont demandé d'essayer de me rappeler les choses que j'avais pu avoir faites les jours précédant le 22 décembre et qui auraient pu forcer mes muscles de façon peu ordinaire. Nous avons écarté l'explication voulant que j'aie porté des bagages trop lourds dans le train, car ma petite valise n'était pas vraiment lourde.

Puis, je me suis rappelé, tout à coup, qu'au cours des semaines qui ont précédé le voyage en train, je m'étais appliqué à perfectionner la technique du spiccato au violoncelle: il s'agit de jouer légèrement en faisant bondir ou sautiller l'archet pour bien détacher les notes les unes des autres. Cette technique demande un contrôle absolu de l'archet et exige un dosage précis à la fois de force et de légèreté, ce qui peut être très exigeant pour les muscles et les tendons de l'avant-bras et du coude. Monsieur Mignault m'avait bien averti de ne pas en faire plus de huit minutes à la fois, mais pressé de relever ce défi et de maîtriser cette nouvelle technique au plus tôt, je ne comptais pas le temps que j'y mettais. Le coupable, c'était donc moi. Mon mal de coude était une punition pour avoir désobéi!

Il était devenu évident pour tout le monde que mon mal de coude n'était rien de plus qu'une vulgaire tendinite ou une synovite, une blessure fréquente chez les musiciens et les sportifs: le fameux «tennis elbow». Les médecins disaient que ce «bobo» pourrait prendre du temps à guérir et qu'il faudrait de longs exercices de physiothérapie et des traitements avec des équipements spéciaux (vibrateurs, stimulateurs électriques, orthèses et autres). Pour chasser le mal, on me prescrivait de la codéine. Je devrais donc aller, plusieurs fois par semaine, à une clinique de physiothérapie de Hull pour soigner mon «tennis elbow».

Pour être plus certaine de ne pas faire fausse route, maman a de nouveau tenté d'obtenir un rendez-vous avec mon pédiatre, le Dr Guilmet, mais il était encore absent. Le 3 janvier, j'ai donc consulté son remplaçant, le Dr Huot. Il arriva aux mêmes conclusions que les autres. Par précaution, toutefois, il me fit examiner par un orthopédiste, le Dr MacIntire. Ce spécialiste des os examina mes radiographies et ne vit rien d'anormal dans mon ossature. Le diagnostic d'un «tennis elbow» paraissait donc de plus en plus évident.

J'avais pris un peu de retard dans mes exercices de violoncelle et dans mes répétitions d'orchestre. Mon dernier concert public remontait au 11 décembre à Ottawa. J'avais beaucoup de choses en préparation. J'étais premier violoncelle dans l'Orchestre du Conservatoire. Je jouais aussi dans l'Orchestre des jeunes de la Capitale nationale, et je faisais partie d'un quatuor à cordes qui se préparait pour le Festival de musique d'Ottawa. En plus, je répétais des pièces en solo pour ce festival. J'occupais presque tous mes moments libres à jouer du violoncelle et à poursuivre mes cours de théorie et d'instrument au Conservatoire.

Mon objectif d'alors était ma participation au prestigieux Concours de musique du Canada en mai. Je m'y suis inscrit. Il fallait que j'établisse d'avance un répertoire suffisamment difficile pour me mettre le plus en valeur. J'avais donc choisi d'interpréter les pièces suivantes: l'étude n° 33 de Dotzauer, le Concerto en *sol* majeur de Bréval, l'étude-caprice et le Concerto n° 4 de Goltermann, et le premier mouvement du Concertino en *do* majeur, opus 7, de Klengel. J'y mettais beaucoup de cœur car j'avais l'intention ferme d'aller décrocher un premier prix: une première place au Concours de musique du Canada est une consécration et un tremplin pour une carrière en musique.

La douleur au coude ne me quittait plus. En effet, loin de s'apaiser avec la codéine et les traitements, mon «tennis elbow» me faisait de plus en plus souffrir. Le 25 janvier, de retour de Saint-Quentin, après les funérailles de grand-papa Hector, je suis donc allé voir le Dr Guilmet. Il fit faire une prise de sang qui ne révéla rien de nouveau. L'inquiétude et l'incertitude grandissaient.

Plusieurs médecins ont commencé à se demander si mon mal n'était pas un peu imaginaire ou, du moins, sans nier que mes douleurs étaient bien réelles, s'il n'y avait pas aussi une cause psychologique à l'accroissement de mon mal. Ils pensaient que le décès de grand-papa Hector pouvait y être pour quelque chose. Les médecins ont conseillé que je vois un psychologue. J'ai donc consulté Oscar Teyeda, le psychologue de l'école, le 1er février.

Le 7 février, je me suis rendu à ma leçon de violoncelle avec monsieur Mignault, mais je n'ai pas pu jouer tellement mon coude me faisait souffrir. Je n'abandonnais quand même pas le violoncelle et j'ai poursuivi mes répétitions avec le quatuor à cordes chez Karoly Sziladi jusqu'au 19 février.

Mais tout à coup, un autre mal, encore plus violent, s'est attaqué à ma poitrine et à mon dos. Cette douleur très vive survenait la nuit. Je hurlais et je me tordais de douleur. Toute la famille se réveillait trois et même quatre fois chaque nuit. Un bain chaud réduisait la douleur. J'en prenais donc trois ou quatre par nuit! En visite chez nous, Jean, un ami, tenta un massage du dos pour faire passer mes crises, mais le mal était pire que jamais.

Nous nous sommes donc rendus, en pleine nuit, à l'urgence de l'Hôpital pour enfants d'Ottawa. Après plus d'une heure d'attente, un médecin m'a finalement vu. Il m'a renvoyé à la maison avec des aspirines...

Mes parents commencèrent à s'inquiéter beaucoup car il leur était difficile de concevoir qu'un «tennis elbow» ou des problèmes psychologiques pouvaient provoquer tant de douleur au dos et à la poitrine. Nous avons revu le Dr Guilmet le 15 février, mais il est resté impuissant à expliquer mes étranges douleurs. Le même soir, maman a téléphoné au Dr Marois, un physiatre, ami de la famille. Il nous a référés à un de ses collègues, le Dr Latter, un physiatre pour enfants (le physiatre est un spécialiste en réadaptation).

L'hypothèse du «tennis elbow» n'était toujours pas écartée. Le Dr Latter pensait m'envoyer dans une clinique spécialisée dans le traitement des blessures des sportifs à Hamilton, près de Toronto. Pawel Szymczyk-Marjanovic, un ami violoncelliste et mon professeur pendant l'été, avait aussi entendu parler d'une clinique où l'on traitait des maux de musiciens. À la même époque, une émission de télévision d'une heure avait été consacrée à ce sujet. Beaucoup de musiciens, surtout des violonistes, ont défilé à l'écran pour parler de leurs maux de coude, de main, de bras, de dos et de cou, et des médecins spécialistes nous informaient que beaucoup de musiciens s'infligeaient ces blessures par la façon de tenir leur instrument.

Le Dr Latter proposa que j'apporte mon violoncelle à l'hôpital et que j'en joue devant une physiothérapeute pour voir si ma position au violoncelle ne pourrait pas expliquer mes douleurs. Le 20 mars 1989, j'ai donc joué devant Linda Ivanovich et une vingtaine de personnes, patients et physiothérapeutes qui m'ont dit avoir beaucoup apprécié le petit récital. C'est la dernière fois que j'ai joué du violoncelle...

Les mois de février et de mars furent des mois d'enfer. J'ai dû arrêter d'aller à l'école de façon régulière à la fin de février, même si j'ai continué mes répétitions de violoncelle jusqu'au 20 mars, car je voulais à tout prix participer au Festival d'Ottawa et au Concours de musique du Canada, en mai, qui approchait à grands pas.

Le Dr Latter avait demandé que je subisse des examens neurologiques pour voir si mes muscles et mes nerfs répondaient bien. Le 28 mars, j'ai donc vu le Dr Jacob qui m'a fait subir une batterie de tests avec des aiguilles et des électrodes. Ces tests n'ont rien révélé d'anormal.

Entre-temps, grand-maman Anita et d'autres amis, dont Viviane et Marianne, sont venus me rendre visite pour mon onzième anniversaire de naissance, le 30 mars 1989. On me fit une fête bien sympathique. En soufflant les bougies de mon gâteau d'anniversaire, j'ai formulé le souhait que mes douleurs cessent au plus tôt, puisque nous n'étions qu'à un mois du Concours de musique du Canada! J'étais bien loin de me douter que mon vœu ne serait pas exaucé et que ma onzième année allait être la pire de toute ma vie.

J'avais beaucoup de mal à dormir à cause de mes douleurs et, dès le lendemain de mon anniversaire, le samedi 1er avril, je me suis rendu au bureau du Dr Guilmet. Celui-ci commençait bien à se douter que mon mal n'était pas un simple «tennis elbow», et il a même parlé à papa et à maman, sans que je le sache, de la possibilité que ce soit une maladie grave, comme la sclérose en plaques. En attendant de poursuivre des examens plus poussés, il m'a prescrit des antidépresseurs pour m'aider à mieux dormir.

Moi, je croyais que j'avais un problème de colonne vertébrale, comme celui que monsieur Mignault me racontait avoir déjà eu. Il s'était rétabli après des traitements chez un chiropraticien.

Le lendemain, maman prenait l'avion pour le Nouveau-Brunswick où elle était membre d'un jury dans un concours de musique. Elle s'absentait pour six jours.

Loin de s'apaiser avec les antidépresseurs, mes douleurs grandissaient. En plus, mes jambes commençaient à engourdir. Quand je suis monté en voiture, le mercredi soir, 5 avril, papa a même été obligé de m'aider à lever mes jambes pour les entrer dans l'auto. Il a alors décidé de prendre congé jeudi et vendredi pour s'occuper de moi et aller voir des médecins. Ça faisait maintenant plus de trois mois que je voyais des spécialistes!

Le jeudi matin, 6 avril, à huit heures, c'est le Dr Guilmet lui-même qui a téléphoné pour prendre des nouvelles. En apprenant mon état, il m'a aussitôt trouvé une chambre à l'Hôpital pour enfants où j'étais attendu à treize heures.

J'étais très fâché d'aller à l'hôpital et j'ai beaucoup pleuré. J'étais persuadé que c'était un coup monté par papa et le Dr Guilmet. Je pensais que papa avait planifié d'avance son congé pour me faire entrer à l'hôpital. Je refusais carrément d'y aller. Je voulais d'abord voir un chiropraticien.

Papa insistait, m'expliquant que ma visite à l'hôpital ne durerait que quelques jours et que je n'y allais que pour des examens plus poussés. J'ai finalement cédé et, à treize heures, comme prévu, on m'a hospitalisé.

Dès que je suis entré dans ma chambre, les examens neurologiques ont commencé. J'ai été vu d'abord par le Dr Handleman, puis par le Dr Christie. Ils sont revenus des dizaines de fois chacun leur tour, puis ensemble, et ils m'ont fait toutes sortes de tests de sensation avec des aiguilles, du papier, des fourchettes à diapason comme celles qui nous donnent le *la* en musique, des molettes dentelées, etc. Ils ont noté que la pupille de mon œil droit était plus petite que l'autre et que ma tête penchait vers l'avant.

Ils m'ont finalement laissé en paix vers dix-huit heures et je suis descendu au café avec papa. Par hasard, j'y ai rencontré le Dr Jacob, le neurologue qui m'avait fait subir une batterie de tests la semaine précédente. Il semblait tout surpris de me voir là, mais surtout de voir que je boitais et que ma tête penchait vers l'avant.

Les examens ont repris de plus belle le lendemain matin. Les docteurs Jacob, Handleman et Christie recommencèrent inlassablement des tests semblables. Ils me posèrent cent fois les mêmes questions. Je commençais même à me demander s'ils n'étaient pas un peu durs d'oreille...

Vers seize heures, on me fit descendre dans une salle d'examen équipée de gros appareils de radiographie. On m'annonça qu'il faudrait prendre des rayons X de ma colonne vertébrale et qu'il fallait d'abord que je prenne une très grosse capsule de calmant. Je ne comprenais pas pourquoi je devais prendre des sédatifs simplement pour faire des radiographies. On m'a expliqué qu'il fallait que je reste très calme et que je ne bouge pas pour ces radiographies. C'était très louche pour moi. Je les soupçonnais de vouloir me faire bien pire! J'ai refusé obstinément, pendant plus d'une heure, de prendre la capsule. Plus ils insistaient, plus je refusais.

—Je sais que vous voulez m'opérer, disais-je, mais je ne veux pas! J'ai un petit problème de colonne vertébrale comme celui que mon professeur de violoncelle a déjà eu et je veux voir un chiropraticien!

Je faisais perdre un temps précieux aux médecins présents et ils commençaient à s'impatienter. Pour qu'ils cessent de m'importuner et pour en finir une fois pour toutes, j'ai finalement pris la grosse capsule. On m'a installé à plat ventre sur une longue table et j'ai demandé à papa de me tenir la main pendant toute la durée de l'examen. Examen mon œil! On m'introduisit une longue aiguille dans la colonne vertébrale pour en extraire du liquide et pour m'injecter un colorant pour l'étudier au rayon X. Sans que je le sache, on m'a fait une ponction lombaire et un myélogramme!

J'étais à demi conscient pendant l'heure qu'a duré cet examen. Je me souviens bien, cependant, que les médecins ont appelé papa dans le corridor pour lui parler. Ils lui ont dit que le myélogramme montrait la présence d'une tache suspecte mais qu'il faudrait avoir recours à un scanner pour obtenir une image plus précise. J'étais très inquiet. Quand papa est revenu à mes côtés, je lui ai demandé avec insistance ce que les médecins lui avaient dit. Il m'a répondu vaguement que l'examen n'avait rien révélé, mais que les médecins allaient m'examiner avec un appareil plus précis.

On me transféra par la suite dans une autre salle, celle-là équipée d'un gros appareil en forme de beignet, un «CAT scan», pour examiner mon cou et ma tête. On entre dans le beignet couché sur une table mobile. C'est un genre de machine circulaire à rayons X qui analyse les radiographies à l'ordinateur. J'étais tellement amorti par les sédatifs que j'offrais peu de résistance.

Je suis resté presque impassible quand on m'a annoncé, à vingt heures, qu'il fallait m'opérer tout de suite. J'ai bien pleuré et rouspété un peu, mais sous l'effet des tranquillisants, je me suis finalement fait à l'idée d'être opéré.

Personne ne m'a mis au courant qu'on avait découvert une tumeur dans ma colonne vertébrale. Comme papa, le Dr Ménard, l'anesthésiste, m'a rassuré en me disant qu'il s'agissait d'une petite opération pour dégager un nerf coincé. En l'absence du Dr Ménard, j'ai demandé à son adjointe:

— C'est bien une petite opération, n'est-ce pas?

— It's a fairly big operation, m'a-t-elle répondu en anglais.

En entendant le mot «big», je me suis mis à paniquer et à pleurer, mais papa m'a tout de suite rassuré en ajoutant:

— «Fairly» veut dire moyennement; ce ne sera qu'une opération moyennement grosse...

Maman est enfin arrivée de voyage et a pu me voir seulement quinze minutes avant l'opération! Elle n'était au courant de rien. Papa est allé à sa rencontre et lui a murmuré, pour que je ne l'entende pas, ce qui s'était passé. Cela a dû être très renversant pour elle d'apprendre tout à coup qu'on m'opérait d'urgence dans la colonne vertébrale pour une tumeur. Elle s'est approchée de moi. Nous ne savions pas trop quoi dire. Elle m'a pris la main et nous nous regardions dans les yeux en silence. Le calme est revenu.

Quelques minutes avant l'intervention, maman est allée échanger quelques mots avec le Dr Da Silva, en tenue de chirurgien, qui jetait un dernier coup d'œil aux radiographies. Puis, papa et maman m'ont reconduit jusqu'à la porte de la salle d'opération, ils m'ont embrassé et les infirmiers m'ont transporté dans la salle.

Il y avait plein de gens masqués qui tournaient tout autour de moi. Comme on allait m'opérer dans la nuque, je leur ai demandé si j'aurais du mal à respirer, couché sur le ventre. Ils m'ont dit de ne pas m'inquiéter, que tout irait bien.

J'ai vu plein d'appareils, d'équipements et d'immenses lampes d'éclairage. Puis tout s'est très vite passé. Le Dr Ménard m'a demandé de compter jusqu'à dix: 1, 2, 3, 4, 5, 6... et je ne me souviens plus de rien.

Ma rencontre avec la maladie

L'opération a duré plus de quatre heures, de 21 heures à 1 heure 30 du matin. Papa, qui avait passé deux jours et deux nuits blanches à s'occuper de moi, était parti se coucher. Maman est revenue à l'hôpital avec Mercédès, une amie de la famille qui est infirmière, et toutes les deux étaient là à mon réveil. Le Dr Da Silva leur a dit que tout s'était bien déroulé. J'étais confus et perdu. On m'avait reconduit dans la salle des soins intensifs. J'étais encore trop engourdi pour sentir du mal. Il y avait plein d'appareils tout autour de moi dont un écran qui traçait des lignes en pointe et qui faisait bip! bip! à chacun de mes battements de cœur.

Dès dix heures du matin, l'infirmière des soins intensifs me fit faire quelques pas. Tout le monde était rassuré de me voir marcher si tôt après une opération dans la colonne vertébrale. Je me suis dit qu'on avait donc réussi à décoincer le nerf!

Quand je me levais, il fallait m'installer un genre d'attelage avec des courroies élastiques pour garder mes épaules vers l'arrière afin de ne pas étirer la peau du cou et rouvrir l'incision. Tout semblait bien aller; on parlait même de me transférer dès l'après-midi de la salle des soins intensifs à l'aile ouest du cinquième étage réservée aux patients opérés. Je voulais marcher encore plus, mais l'infirmière des soins intensifs laissa échapper:

— Attention Mathieu, tu viens d'être opéré pour une tumeur; il faut être prudent.

C'est alors et alors seulement que j'ai appris qu'on m'avait opéré pour une tumeur et qu'on n'avait pas réussi à l'enlever au complet lors de l'opération pour ne pas endommager la moelle épinière! Je ne connais pas de mots assez forts pour dire comment cette nouvelle m'a foudroyé. Quand on vient tout juste d'avoir onze ans et qu'on nous annonce qu'on a une tumeur, c'est très effrayant. Le mot «tumeur» lui-même est terrifiant en français. À l'oreille, il sonne comme «tu meurs!» Imaginez, se faire dire «tu meurs!» Une véritable condamnation à mort. N'a-t-on jamais pensé à trouver un mot pour remplacer «tumeur» qui serait moins cruel à entendre? Par exemple, le mot «oncologie» est moins désagréable à entendre que «cancérologie», qui pourtant veut dire la même chose.

Me rappelant les tumeurs de grand-papa Hector, j'ai demandé à papa en pleurant:

— Une tumeur, ça veut dire le cancer, n'est-ce pas?

Un peu désemparé, papa a essayé de me rassurer en ajoutant:

— Le Dr Da Silva en a opéré des dizaines comme ça. Comme les autres médecins, il pense qu'il s'agit d'une tumeur bénigne et non pas d'une tumeur maligne.

— Mais c'est quoi la différence? ai-je demandé.

Il m'a expliqué que seules les tumeurs malignes sont cancéreuses. Une tumeur maligne, m'a-t-il dit, est une bosse faite de cellules anormales qui se développent de façon incontrôlée et qui peuvent se répandre ailleurs dans le corps. Une tumeur bénigne, par contre, est aussi une bosse formée de cellules anormales, mais qui se développent de façon limitée et ne se répandent pas ailleurs. Une tumeur bénigne n'est habituellement pas dangereuse.

— Mais quand va-t-on savoir si la tumeur qui reste encore dans ma colonne vertébrale est bénigne ou maligne? ai-je aussitôt demandé.

— Le pathologiste, celui qui examine le morceau de tumeur que le chirurgien t'a enlevé, devrait nous confirmer demain qu'il s'agit bien d'une tumeur bénigne, m'a répondu papa.

J'étais extrêmement inquiet. Je tremblais à la vue de tous ceux qui passaient dans le corridor habillés en blanc, et encore plus quand l'un d'eux avait le malheur d'entrer dans la chambre. Ils s'adressaient à papa ou à maman. Ne comprenant pas l'anglais, je les interrompais constamment pour demander «qu'est-ce qu'il dit, qu'est-ce qu'il dit?» J'étais doublement énervé quand un médecin appelait papa ou maman dans le corridor pour leur parler seul à seul. J'exigeais qu'on me dise tout. Mais c'étaient toujours de fausses alertes.

Je n'ai pratiquement pas dormi la première nuit au cinquième Ouest. J'étais tourmenté par la nouvelle qui m'attendait le lendemain. Le soleil mettait beaucoup de temps à se lever. Le matin est enfin arrivé. Nous attendions en silence la tournée des patients du Dr Da Silva. Il est enfin arrivé. Mais il n'avait rien à nous annoncer. Il nous dit que l'examen de la tumeur n'était pas terminé mais que ça ne devrait pas tarder.

J'ai attendu un jour, deux jours, trois jours, quatre jours et toujours pas de nouvelles. J'ai donc commencé à soupçonner mes parents et les docteurs de me cacher quelque chose.

— Je sais que tu le sais, mais tu ne veux pas me le dire, disais-je sans cesse à papa.

Papa me rassurait en me répétant «pas de nouvelles, bonnes nouvelles»...

Je me souvenais que huit heures après l'opération, j'avais pu faire quelques pas. Mais de jour en jour je devenais de moins en moins capable de me tenir sur mes jambes qui devenaient de plus en plus insensibles, comme mon bras droit. J'étais en train de paralyser!

En même temps, mon cou me faisait de plus en plus mal à mesure qu'il dégourdissait. On devait me donner des décadrons contre l'inflammation et de la codéine contre le mal. L'inquiétude et l'angoisse montaient de plus en plus et on me donnait souvent des valiums pour me calmer.

Nous avons finalement su pourquoi les résultats des examens de ma tumeur prenaient tant de temps à venir: le pathologiste de l'hôpital pour enfants n'arrivait pas à identifier cette tumeur très rare et il consultait des spécialistes américains.

J'ai demandé à papa que ce soit mon pédiatre, le Dr Guilmet, qui m'annonce le résultat. Le Dr Guilmet me rendait visite tous les matins et il était une des rares «tuniques blanches» que je tolérais autour de moi. Je le connaissais depuis ma tendre enfance et je préférais que ce soit lui qui m'en parle.

Les résultats de l'analyse sont enfin arrivés le 15 avril, après huit longs jours d'attente interminable! Le Dr Guilmet est entré dans la chambre en portant des verres fumés. Je lui ai souri en espérant ainsi lui faciliter les choses.

Après plusieurs très longues secondes d'hésitation, il dit: «Les analyses de la tumeur continuent et les pathologistes ne savent pas encore tout à fait de quoi il s'agit». Il est reparti aussitôt. Je savais au fond de moi qu'il n'avait pas tout dit.

Entre-temps, papa était allé au-devant du Dr Da Silva dans le corridor et en était revenu la tête basse.

J'ai insisté pour qu'il me parle tout de suite.

— C'est bien le cancer, n'est-pas? lui ai-je demandé.

Papa évitait de me regarder dans les yeux. Il m'a répondu à voix basse: «Il y a de fortes chances que oui»... Après quelques hésitations, il a ajouté: «La tumeur n'est pas bénigne».

À ces mots, je me suis effondré. En pleurant, j'ai dit: «Ça se peut pas, quand je revenais de Saint-Quentin, deux mois passés, j'ai tellement souhaité ne jamais avoir cette sale maladie, la pire de toutes; pourquoi moi? C'est injuste!

Pourquoi m'as-tu mis au monde?... Est-ce que je vais guérir? Promets-moi que je vais guérir!»

— Mathieu, m'a dit papa, tu sais que la médecine d'aujourd'hui guérit beaucoup de cancers. Nous ferons tout ce qu'il faut pour te guérir.

Il avait beau essayer de me rassurer, le souvenir de grand-papa Hector était encore trop frais. J'étais complètement désemparé. Papa a fait venir l'infirmière qui m'a donné des valiums pour me calmer.

Je ne pouvais m'empêcher de voir se dérouler dans ma tête le même scénario que celui de la maladie de grand-papa Hector. Une opération mineure pour un nerf coincé, la découverte d'une tumeur cancéreuse qui fait une pression sur la colonne vertébrale, la paralysie et le reste...

J'étais vraiment dans un état de choc. Pendant des jours et des semaines, je fixais le plafond sans parler. Je me demandais quelle sorte de vie j'aurais, paralysé dans un fauteuil roulant, ne pouvant bouger que ma main gauche, même si on parvenait à vaincre mon cancer. Et qu'adviendrait-il de mon rêve de devenir un jour un violoncelliste aussi bon que Yo-Yo Ma? J'étais vraiment atterré et négatif.

Je faisais parfois des cauchemars la nuit, et je me réveillais en me disant: «Ce cancer n'est peut-être qu'un mauvais rêve?» Mais non, c'était la dure réalité!

Je restais complètement insensible aux visiteurs, très gentils pourtant, comme Sylvie et Nicole, deux secrétaires du bureau de papa. Je ne voulais voir personne, même ceux qui étaient là pour m'aider, comme Kathy Irwin, la travailleuse sociale, ou Robert Pigeon, du Milieu de l'enfant. Ils me parlaient si bien et ils m'apportaient des jeux, un magnétophone et des vidéocassettes pour me distraire, mais je refusais carrément de les voir.

Papa s'efforçait de me convaincre de changer d'attitude. Il me dit à nouveau que lui, maman et les médecins feraient tout ce qu'ils pourraient pour me sauver, mais que ce n'était pas assez: il m'a cent fois répété qu'il fallait aussi que je fasse ma part et que je les aide à me guérir.

— Il faut que tu saches, m'a-t-il dit, que ça va être difficile, même très très difficile: pour combattre le cancer, il faudra que tu sois très positif, il faudra vouloir gagner. La volonté, c'est la moitié de la guérison.

J'ai alors dit à papa que je voulais absolument vivre; je lui ai promis que j'essaierais d'être positif et que j'étais prêt à commencer le combat.

Le type de tumeur qu'on a découvert dans ma colonne vertébrale est très rare. On m'a même dit que je n'étais que le trentième cas connu avec cette sorte de cancer dans la colonne vertébrale, ce qui n'était pas de nature à me rassurer. Il s'agit d'un cancer agressif du système nerveux central qu'on retrouve habituellement dans la tête mais qui, dans mon cas, s'était développé dans la moelle épinière, au niveau du cou. Il porte un nom qu'on ne trouve que dans les livres très spécialisés. Mes médecins anglophones l'appellent PNET, un raccourci pour Primitive Neuroectodermal (une tumeur primaire neuro-ectodermique)! Pas étonnant que les pathologistes aient pris tant de temps pour l'identifier.

Comme il était maintenant certain que j'avais le cancer, j'ai eu un autre médecin et on m'a changé d'étage. On m'a descendu au quatrième Ouest et c'est le Dr Elisabeth Hsu, une spécialiste du cancer, qui m'a pris en charge. Je n'ai plus revu le Dr Da Silva, sauf une fois quand il est venu enlever les points de suture, ou plutôt les crampons de métal, car c'est avec ça qu'il avait refermé la plaie. J'ai gardé les crampons en souvenir.

Avant de pouvoir décider des traitements qu'elle allait utiliser dans mon cas, le Dr Hsu (on prononce Chou) voulait être certaine que mon cancer ne s'était pas répandu ailleurs dans mon corps. J'ai donc dû subir une suite interminable d'examens pendant cinq jours, dans toutes sortes de machines à faire peur.

En plus de passer sous les machines à rayons X et à ultrasons que je connaissais déjà, j'ai fait l'expérience de différents scanners: un scanner en forme de beignet (CAT Scan) pour examiner la tête et le cou; un scanner à résonance magnétique (MRI), en forme de tunnel, qui fait autant de bruit qu'un marteau piqueur; un scanner nucléaire pour examiner les os et les organes: on nous injecte une matière radioactive et on nous examine le corps à l'aide d'une grosse caméra mobile sensible à cette matière radioactive.

Le soir de mon opération, j'avais eu la chance, si je puis dire, de subir une ponction lombaire (c'est-à-dire une extraction de liquide de la colonne vertébrale). Il n'était donc pas nécessaire d'en faire une autre. Cependant, en plus des tests d'urine et de sang qui sont d'usage pour ces examens, les médecins voulaient absolument faire un prélèvement de moelle pour s'assurer qu'il n'y avait pas de cancer dans les os. Chez les enfants, ce prélèvement de moelle se fait habituellement dans la hanche. On m'a injecté du démerol pour la douleur et pour me calmer, et on a anesthésié mes deux hanches afin d'extraire de la moelle des deux côtés pour être plus sûr. L'anesthésie n'était pas très réussie car j'ai senti du mal pendant la première extraction de moelle. Mais je me suis endormi au cours de la deuxième. On m'a dit que papa, qui m'accompagnait, a failli s'évanouir...

Les nombreux tests n'ont révélé la présence d'aucune autre tumeur ailleurs que dans la colonne vertébrale. Le Dr Hsu pouvait donc établir le traitement qui convenait dans mon cas. Elle a consulté d'autres spécialistes canadiens et étrangers. Il fut finalement décidé qu'on attaquerait la tumeur à la fois avec la radiothérapie et avec la chimiothérapie. C'étaient des mots bien impressionnants pour moi. Je les avais déjà entendus car grand-maman Éva avait déjà eu de la chimiothérapie et grandpapa Hector de la radiothérapie, mais je ne savais pas exactement en quoi ça consistait. Le mot cancer était aussi un mot que j'avais souvent entendu, sans trop savoir cependant ce qu'il signifiait vraiment. Je savais que c'était une maladie grave, mais j'aurais été bien en peine de l'expliquer à quelqu'un. L'inconnu fait toujours peur. J'ai donc tenté d'en savoir le plus possible sur le cancer et les traitements.

Le cancer, c'est quoi au juste?

Comme j'ai voulu que ce livre soit utile à ceux et celles qui ont le cancer et à leurs parents et amis, j'ai écrit dans mes mots le résultat de mes nombreuses lectures sur le cancer. J'explique aussi comment j'ai vécu mes traitements et quels effets ils ont eus sur moi. Ces traitements ont été assez intensifs et il est évident que les effets qu'ils ont eus sur moi ne sont pas nécessairement les mêmes pour chaque cas. Je dois dire que j'ai subi la plupart des effets secondaires mentionnés dans les livres.

Une fois qu'on sait en quoi il consiste, le cancer n'est plus cette maladie si mystérieuse qu'on doit craindre comme la peste. Le cancer n'est d'ailleurs pas du tout, comme j'ai long-temps cru, un genre de microbe contagieux qu'on peut attraper. C'est probablement aussi ce que pensaient plusieurs amis qui ont mis bien du temps avant de venir me visiter. Je crois qu'en connaissant mieux le cancer, on apprend à en avoir moins peur et à vivre avec lui.

Le corps est constitué d'un nombre inimagi-
nable de cellules. Le cerveau à lui seul compte
au moins dix milliards de cellules nerveuses
appelées neurones. Imaginez un peu:
10 000 000 000 de cellules nerveuses dans le
cerveau, sans compter ses centaines de milliards d'autres! Et que dire alors du nombre de
cellules de tout le corps qui se comptent en
trillions. Je n'aurais probablement pas assez de
place sur une ligne pour inscrire tous les zéros!
Les cellules qui meurent sont remplacées par de
nouvelles cellules qui se multiplient au rythme
de 25 millions par seconde. Il suffit pourtant
d'une cellule anormale, d'une seule! pour qu'ap-
paraisse un cancer.

Le cancer n'est en effet rien de plus que le
développement de cellules anormales. Les plantes sont constituées de cellules vivantes et ont
donc, aussi, la possibilité de développer des
cancers. Les cellules du corps se divisent et se
multiplient, certaines très lentement, d'autres
très rapidement. C'est ainsi que le corps se
développe et grandit. Les cellules cancéreuses
sont des cellules qui ont décidé de ne pas faire
comme les cellules normales, de ne pas jouer
leur rôle. Ces cellules malades continuent de se
diviser et de se multiplier comme les autres
cellules. Elles ont même habituellement une
durée de vie plus longue que les cellules norma-

les et elles deviennent insensibles aux défenses naturelles du corps contre la maladie. Elles nuisent aux bonnes cellules en prenant trop de place et en les empêchant de fonctionner normalement. Elles finissent même par les supplanter.

Bien sûr, l'idéal serait de pouvoir enlever ces cellules ou groupes de cellules anormales, qu'on appelle des tumeurs, par une simple opération chirurgicale. Mais les cellules sont tellement petites qu'on ne peut les voir qu'avec des microscopes puissants. Il est parfois difficile d'être certain que toutes les mauvaises cellules ont été enlevées par la chirurgie: certaines peuvent avoir voyagé ailleurs dans le corps, ce sont les métastases dont j'ai parlé plus tôt; d'autres peuvent se cacher ou être situées dans des endroits où il est difficile d'opérer. C'est mon cas: ma tumeur est dans la colonne vertébrale et elle nuit aux bonnes cellules de ma moelle épinière. C'est ce qui m'a paralysé. La moelle épinière est très délicate et très importante car c'est elle qui communique à toutes les parties du corps les messages envoyés par le cerveau. Quand le neurochirurgien m'a opéré, il n'a pu m'enlever qu'une partie de la tumeur pour ne pas trop endommager ma moelle épinière.

Il restait donc deux armes entre les mains de mes médecins pour combattre mon cancer: la radiothéraphie et la chimiothérapie. Ce sont deux moyens de détruire des cellules cancéreuses : la radiothérapie, par des rayons X puissants, et la chimiothérapie, par des produits chimiques.

J'ai donc fait l'expérience des trois armes utilisées par la médecine d'aujourd'hui pour traiter les cancers. L'opération n'a pas été suffisante car le neurochirurgien n'a pas réussi à enlever toute la tumeur cancéreuse. Aussitôt après l'opération, elle s'est remise à grossir rapidement et elle m'a de plus en plus paralysé. La tumeur très agressive a arrêté de grossir dès que les traitements de radiothérapie et de chimiothérapie ont commencé à faire effet. Sans la radiothérapie et la chimiothérapie, je ne serais probablement plus là pour vous en parler! Par conséquent, même si les radiations et la chimiothérapie ont des effets négatifs bien connus, il fallait absolument les utiliser dans mon cas.

Ce n'est jamais de bon cœur qu'on y a recours, c'est toujours par nécessité. J'ai passé de bien mauvais quarts d'heure et même de bien mauvais mois à subir ces traitements très difficiles. J'ai souvent voulu tout abandonner et le Dr Hsu a même dû écourter quelques-uns de mes traitements de chimiothérapie quand je n'en pouvais plus ; mais avec l'encouragement de mes parents, j'ai finalement tenu le coup.

74

Comme je l'ai dit, ces traitements n'ont pas les mêmes effets sur tout le monde. Cela dépend d'une foule de facteurs, dont le type et la quantité de médicaments utilisés, l'état de santé de celui qui les reçoit, etc. J'aimerais vous parler un peu des traitements de radiothérapie et de chimiothérapie et des effets qu'ils ont eus sur moi.

La radiothérapie

La radiothérapie, c'est une technique qui utilise des radiations pour détruire les cellules cancéreuses. Ce sont en fait des rayons gamma (ou rayons X puissants) produits par des matières radioactives comme le cobalt-60. J'ai d'abord cru que les rayons détruisaient les cellules en les brûlant, mais ce n'est pas vraiment le cas. Les radiations modifient les cellules cancéreuses pour les empêcher de se diviser et de se reproduire.

J'ai eu en tout une trentaine de traitements de radiothérapie. Il n'y avait pas de temps à perdre. On avait déjà trop perdu de temps à essayer d'identifier la sorte de tumeur. Mais aussitôt que le pathologiste a su qu'elle était cancéreuse, l'équipe de radiothérapie du Dr Grimard (avec Leah, Renée, Susanna, Orna, Dale, Melody, Steve, Dorothy et les autres) a

75

tout de suite commencé les traitements. Ils ont même ouvert la salle de traitements samedi et dimanche, juste pour moi.

L'Hôpital pour enfants n'a pas l'équipement de radiothérapie. Je devais donc aller à l'Hôpital général d'Ottawa. Les deux hôpitaux sont reliés par un long passage vitré surélevé qui fait près d'un kilomètre de long. Chaque jour, papa et une infirmière poussaient mon fauteuil roulant et le poteau sur lequel sont installés une pompe et les sacs de médicaments de chimio branchés à mon intraveineuse, jusqu'à l'Hôpital général pour que j'y reçoive mes traitements. J'y allais parfois sur une civière quand j'étais trop fatigué. La traversée prenait une dizaine de minutes.

Une fois arrivé à la clinique d'oncologie de l'Hôpital général, c'était la longue période d'attente qui durait parfois jusqu'à une heure et demie. Il était très pénible de rester assis droit sur un fauteuil roulant à attendre si longtemps mon tour. Mon cou me faisait particulièrement souffrir. J'étais la plupart du temps le seul enfant à attendre parmi des dizaines d'adultes.

C'était amusant quand l'équipement de radiation tombait en panne, car on me conduisait alors en ambulance dans un autre hôpital d'Ottawa, l'Hôpital Civic. C'est arrivé trois fois. Ce furent mes seuls voyages en ambulance.

Malheureusement, ils n'ont pas fait fonctionner les sirènes.

Le plus impressionnant dans les traitements de radiothérapie, ce sont les grosses machines. J'avais peur seulement à les voir. Comme j'avais très mal au cou et que j'étais paralysé, ils devaient s'y prendre à quatre pour me déposer en douceur sur la table de traitements. On me mettait des coussins sous le cou, sous la tête et sous les genoux pour que je sois bien confortable. Puis, on me fixait la tête avec du ruban adhésif pour m'empêcher de bouger car les rayons doivent être dirigés à un endroit très précis pour ne pas irradier les bonnes cellules environnantes. On dessinait même des cibles sur ma peau avec de l'encre. Il me fallait d'ailleurs faire attention, entre chaque traitement, de ne pas faire disparaître ces marques quand je me lavais.

Après m'avoir installé sur la table, on baissait les lumières et on ajustait les appareils. J'avais très peur. Je ne voulais pas que papa s'en aille pendant les traitements, mais tout le monde, sauf moi bien sûr, devait sortir. Papa pouvait me voir de l'extérieur grâce à une caméra de télévision. Moi, je ne pouvais pas le voir mais j'étais en contact radio avec lui.

J'exigeais que papa me parle sans arrêt pendant toute la durée des traitements. Il m'a donc raconté cent fois au micro un voyage que nous comptions faire dans les Provinces maritimes au cours de l'été. Au Nouveau-Brunswick, j'ai vu, en imagination, la plage Parlee de Shédiac, les rochers en forme de champignon et le mascaret de la rivière Péticodiac ainsi que la côte magnétique de Moncton. J'ai eu l'impression de me baigner à la plage de Cavendish et de déguster du homard et des huîtres de Malpèque à l'Île-du-Prince-Édouard. J'ai visité en rêve Chéticamp, le «Cabot Trail» et la forteresse de Louisbourg au Cap Breton en Nouvelle-Écosse. J'ai même vogué sur les eaux de la baie de Fundy. Papa m'a tellement raconté ce voyage en détail que nous n'avons pas eu besoin d'y aller...

Chacun des traitements ne durait que quelques minutes. J'avais beaucoup plus de peur que de mal car on ne sent absolument pas l'effet des radiations. Ça ne faisait pas plus mal que de se faire éclairer avec une lampe de poche ou de se faire photographier. Les douze derniers traitements ont eu lieu avec une nouvelle machine appelée KD2, un appareil qui produit ses rayons grâce à un accélérateur linéaire plutôt qu'avec une matière radioactive. On m'a dit que c'était un des tout premiers à être installé en Amérique du Nord, et j'étais parmi les premiers à l'utiliser! J'imagine que les rayons du KD2 sont plus puissants car les traitements duraient moins longtemps qu'avec l'autre machine.

On ne sent donc pas du tout les radiations qui pénètrent le corps et attaquent les cellules cancéreuses. Cependant, quelque temps après les traitements, on commence à ressentir des effets désagréables. D'abord, sur la peau, on a l'impression d'avoir un gros coup de soleil. Puis, quand les radiations sont dirigées vers le cou et la gorge, comme dans mon cas, on finit par ressentir de vives douleurs dans la gorge comme quand on a une grosse grippe. Il se forme aussi des ulcères dans la bouche, surtout si on reçoit des traitements de chimiothérapie en même temps. Ça devient très sensible et on ne peut pratiquement rien avaler.

Les médecins préparent alors un «rince-bouche oncologique» qui apaise un peu la douleur et désinfecte la bouche et la gorge. Il arrive parfois que les radiations fassent du tort aux dents et même que des dents tombent. Mes dents ne sont pas tombées, mais j'ai eu plus tard des problèmes dentaires qui ont nécessité une opération. J'y reviendrai.

La radiothérapie, c'est du gâteau comparé à la chimiothérapie!

La chimiothérapie

La chimiothérapie, qu'on appelle «chimio» en raccourci, c'est une technique pour attaquer les mauvaises cellules au moyen de médicaments puissants et même toxiques. Il existe sûrement plus de 60 médicaments utilisés en chimiothérapie. J'ai lu qu'en moyenne un seul nouveau médicament de chimio sur 15 000 proposés par les chercheurs est approuvé par les autorités médicales. Il y a donc beaucoup de recherches et beaucoup de chercheurs dans le monde qui tentent de trouver des remèdes contre le cancer. Certains des médicaments de chimio que j'ai reçus, comme la vincristine et le VP-16-étoposide, proviennent de plantes.

Ils sont souvent donnés sous forme de pilules ou de liquide à avaler, ou par une piqûre dans les muscles mais, dans mon cas, ils m'ont tous été administrés par des intraveineuses, c'est-à-dire directement dans les veines au moyen d'aiguilles.

Ces médicaments portent tous des noms barbares, sans doute pour faire peur au cancer! J'ai reçu de la doxorubicine, de la vincristine, du VP-16-étoposide, de l'ifosfamide et du mesna. Le mesna est injecté pour protéger le foie contre l'ifosfamide.

Ces médicaments attaquent et tuent beaucoup de cellules, bonnes ou mauvaises, quand elles sont en train de se diviser et de se multiplier. Ils n'affectent pas les cellules quand elles sont dormantes ou inactives.

Les cellules cancéreuses se développent et se multiplient souvent très rapidement et la chimiothérapie s'attaque donc surtout à ces cellules. Mais il y a aussi dans le corps de bonnes cellules qui se multiplient rapidement et qui sont donc également attaquées par la chimiothérapie. C'est le cas, par exemple, des cellules de la moelle des os qui produisent les globules blancs du sang, si importants pour se protéger des infections et des maladies. Les cellules des cheveux se reproduisent aussi très rapidement et sont ainsi tuées par certains types de chimiothérapie. C'est pourquoi il arrive souvent que ceux qui subissent des traitements de chimio deviennent temporairement chauves.

Ma croissance aussi a été interrompue à cause de la chimio. Julie, ma cadette de trois ans, mesure maintenant quatre centimètres de plus que moi! Je compte bien la rattraper après mes traitements!

La chimiothérapie est plus efficace sur les petites tumeurs que sur les grosses car les grosses tumeurs ont une proportion trop grande de cellules au stade dormant ou inactif. La chimiothérapie n'a donc pas grand effet sur elles. C'est peut-être une des raisons pour lesquelles on n'a pas cru bon d'utiliser la chimiothérapie pour soigner grand-papa Hector.

Aussi, certains types de tumeurs cancéreuses ne sont pas sensibles à la chimiothérapie.

Quand vient le temps d'administrer la chimiothérapie, le spécialiste du cancer, l'oncologue, doit établir le type et le dosage des médicaments. La «recette» qu'il choisit s'appelle un protocole. Le protocole qu'on a prescrit dans mon cas à été très puissant et intensif si j'en juge par les chimiothérapies subies par d'autres personnes. Par exemple, grand-maman Éva a souffert d'un cancer de la rate et elle a été complètement guérie par des traitements de chimiothérapie qui duraient seulement deux heures par mois en clinique externe.

Dans mon cas, j'ai été hospitalisé toutes les trois semaines pour recevoir des traitements administrés jour et nuit qui duraient six jours et trois jours, en alternance. Tout compte fait, je préférais les traitements de six jours car c'est pendant les traitements de trois jours qu'on me donnait la fameuse doxorubicine.

Mes moments les plus difficiles à l'hôpital, je les dois sans doute à la doxorubicine. Tous mes médicaments de chimio, sauf la doxorubicine, m'étaient injectés par des intraveineuses alimentées jour et nuit par une pompe automatique. La doxorubicine était aussi injectée directement dans mes veines, mais à l'aide d'une grosse seringue tenue par un médecin. C'est un médecin qui doit se charger de l'injection intra-veineuse de la doxorubicine car ce médicament est si fort qu'il peut affaiblir le muscle du cœur.

C'était toutes les fois pareil. Ce liquide rouge me causait beaucoup de mal et des brûlures pendant toute la durée de l'injection. Les douleurs étaient encore plus vives quand le docteur poussait sur la seringue. J'ai lu quelque part que la doxorubicine brûle quand elle s'échappe des veines. Or, je suppose que c'est parce que j'ai de petites veines qui ne peuvent absorber trop de liquide à la fois que cette injection me faisait si mal : le liquide, en effet, débordait à l'extérieur de la veine, me faisant ainsi atrocement souffrir.

Je criais de douleur en suppliant le médecin d'aller moins vite. Ce médicament est habituellement administré en quatre ou cinq minutes, mais dans mon cas la torture durait une heure, parfois même une heure et demie chaque jour du traitement. J'admire les médecins pour la patience dont ils ont fait preuve envers moi pendant ces durs moments où je leur criais, malgré moi, toutes sortes d'injures.

Exception faite de la doxorubicine, ce n'était pas l'injection comme telle des médicaments que je détestais le plus pendant la chimiothérapie, mais leurs effets. La chimio produit deux sortes d'effets secondaires : des effets à court terme et des effets à plus long terme, c'est-à-dire qui surviennent après les traitements.

Pendant les traitements, on se sent toujours mal. On vomit et on n'ose plus rien manger de crainte de vomir encore plus. J'ai d'ailleurs passé des semaines sans manger du tout, nourri seulement par des solutés intraveineux. De toute façon, même si on ne mange rien, on vomit. On nous donne habituellement des médicaments contre la nausée, mais ces médicaments produisent aussi un effet détestable, pire encore pour moi que le vomissement: la somnolence.

Mon père me répétait sans arrêt:

— Essaie de dormir, Mathieu. Tu ne sentiras plus tes douleurs et tes longues semaines de traitements passeront bien plus vite, comme dans un rêve.

La plupart des patients essaient en effet de dormir pendant toute la durée de leur traitement de chimio. Moi, je l'ai dit et je le répète: j'ai horreur de dormir et encore plus de me sentir somnolent. J'aime mieux vomir que dormir. Pour moi, dormir, c'est un peu comme mourir. J'insistais donc pour qu'on ne me donne pas les médicaments antinausée, mais je sais qu'on m'en injectait à mon insu. À force de discuter avec le Dr Hsu, j'ai accepté qu'on me donne par petites doses un médicament antinausée, le nabilone, dont les effets sont moins dormitifs.

La chimiothérapie provoque parfois d'autres effets plus temporaires comme des étourdissements et des tremblements. Il m'est arrivé, une fois, d'avoir des troubles de vision. Je flottais souvent comme dans un rêve bizarre et désagréable, à demi conscient, et j'avais même des hallucinations. Par exemple, quand papa partait travailler le matin après avoir passé la nuit avec moi et que maman prenait la relève durant le jour, j'avais la drôle d'impression qu'il était toujours là et je continuais à lui parler. Si les hallucinogènes ont cet effet sur ceux qui se droguent, je jure de ne jamais en prendre! Il m'arrivait souvent d'avoir tantôt très froid, tantôt très chaud et, à cause de la quantité de liquide qu'on m'injectait, je mouillais parfois mon lit la nuit sans m'en rendre compte.

La chimiothérapie produit aussi des effets secondaires après les traitements, des effets qui mettent quelques semaines à se manifester. J'ai déjà mentionné l'arrêt de croissance mais je crois que c'est la perte des cheveux qui est plus gênante. J'imagine que c'est encore pire pour une fille.

Même si je savais que je perdrais mes cheveux, j'ai eu un véritable choc en trouvant un bon matin des touffes de cheveux sur mon oreiller.

Il existe des trucs pour amoindrir ce choc. Si on ne peut pas souffrir d'être chauve, on peut toujours se procurer une perruque. J'y ai pensé un certain temps, mais je me suis dit que ça serait trop embêtant, et encore plus gênant si elle s'envolait au vent. Je me suis plutôt procuré de belles casquettes, dont une casquette de planche à roulettes avec un tablier à l'arrière, comme sur les casquettes des expéditionnaires français au Sahara. Après tout, être chauve, ce n'est pas si mal que ça; on s'y habitue et c'est même «cool», «sharp» et «super» comme disent les amis. Les skinheads font d'ailleurs fureur avec leurs têtes chauves! Qui sait, peut-être suis-je en train de lancer une nouvelle mode? Et puis, je n'ai plus à aller chez le coiffeur, à me peigner, à endurer le shampooing dans les yeux, et je ne n'ai plus à craindre de me faire tirer les cheveux par Julie... Enfin, sans ma perte de cheveux, personne n'aurait su que j'ai un beau grain de beauté sur la tête. J'ai quand même très hâte que mes cheveux repoussent...

La perte des cheveux est l'effet le plus visible de la chimio, mais c'est loin d'être le plus désagréable. J'ai dit que la chimiothérapie s'attaquait à la moelle des os. C'est là que le corps manufacture les globules rouges du sang; sans eux, on est anémique et on se sent toujours fatigué. Les plaquettes, qui permettent au sang de coaguler ou de figer quand on se coupe, y sont aussi produites. Finalement, c'est aussi dans la moelle osseuse que les globules blancs se reproduisent. Ces globules fabriquent les anticorps qui combattent les microbes et les bactéries responsables des infections.

Le nombre de globules blancs dans le sang varie normalement de 6 000 à 15 000 par millimètre cube. Une semaine après un traitement, mon taux de globules blancs chute parfois jusqu'à une centaine par millimètre cube, ce qui est de 60 à 150 fois plus bas que la normale. C'est donc dire que mon système immunitaire (ou système de protection contre les microbes) est alors très réduit et que je peux facilement attraper des maladies sans pouvoir les combattre. C'est pourquoi il est essentiel d'éviter les égratignures ou les contacts avec des personnes qui ont des maladies infectieuses. On est tellement inquiet qu'on a l'impression que les parents et amis font exprès pour donner encore plus de bises dans ces moments-là!

Malgré toutes les précautions, j'ai eu des infections qui ont nécessité des hospitalisations entre mes traitements. On m'installait dans une chambre d'isolement où tous les visiteurs, infirmiers et médecins doivent porter un masque et une longue blouse semblable à celle d'un chirurgien. Ils accédaient à la chambre en franchissant deux portes. Il y a tout ce qu'il faut à l'intérieur de la chambre pour éviter d'avoir à sortir, même une baignoire. Un confort trois étoiles si ce n'était des piqûres!

Pour moi, un des pires effets secondaires de la chimio est l'apparition d'ulcères dans la bouche; ils mettent du temps à guérir faute d'une quantité suffisante de globules blancs. Ces ulcères sont douloureux et enlèvent le peu d'appétit et de goût qui reste, surtout quand ils s'ajoutent aux effets des radiations à la gorge comme ce fut mon cas les premiers mois. La gorge et la bouche font très mal et il est très difficile d'avaler de la nourriture, même liquide. Je ne mangeais donc pas pendant les traitements et très peu entre. J'ai perdu le tiers de mon poids: je suis passé de 34 à 22,5 kilos!

Sans globules blancs pour les combattre, mes bactéries dentaires s'en donnaient à cœur joie. Lors d'une visite chez mon dentiste, on a dénombré douze caries et cinq abcès. On a donc dû m'hospitaliser à nouveau pour m'endormir (quelle horreur!) afin d'enlever mes caries et de m'extraire cinq dents.

Deux mois plus tard, j'ai failli subir une autre intervention chirurgicale, cette fois dans les oreilles. On avait diagnostiqué une otite (inflammation d'oreille) qui a laissé des dépôts de liquide derrière les tympans. Les médecins m'ont annoncé que je serais obligé de me faire EN-DORMIR (!) pour qu'on implante de petits tubes permanents dans mes oreilles. En apprenant cela, je me suis effondré dans les bras de ma mère. Pas encore une autre intervention, me suis-je dit. Quand vont-ils enfin arrêter? Mais heureusement, les antibiotiques ont finalement fait disparaître l'inflammation et le dépôt de liquide avant la date prévue pour l'intervention.

La vie à l'hôpital

Dans l'année qui a suivi mon opération au cou, j'ai été hospitalisé sûrement plus de quinze fois. Mais les trois premiers mois passés à l'hôpital ont été particulièrement éprouvants et désespérants. J'étais paralysé de tous mes membres, sauf de ma main gauche. Mais même celle-ci était immobilisée: elle était branchée à l'intraveineuse et attachée sur une planchette. J'étais complètement dépendant de mes parents pour tous mes besoins, même pour tirer sur le cordon de la sonnette pour appeler l'infirmière. À chacune de mes nombreuses hospitalisations, mes parents se sont continuellement relayés à mes côtés jour et nuit. Heureusement que papa avait des patrons compréhensifs!

Les tests neurologiques confirmaient que je paralysais de plus en plus et mes médecins pensaient même que ma moelle épinière avait été passablement endommagée et que je ne pourrais plus jamais marcher.

Même si j'avais promis à papa d'être coura-geux, combatif et positif, j'ai eu de très nom-breux moments de faiblesse. J'ai très souvent voulu tout abandonner.

Au cours des premiers mois, la plaie de mon opération au cou me faisait très mal et c'était toujours un supplice pour moi quand on me remontait dans le lit. Il fallait que papa et une infirmière me soulèvent en tenant chacun de leur côté le drap sous moi et me montent ensem-ble. Mais cela n'était rien comparé à ce que j'endurais quand on me soulevait la tête pour me laver les cheveux. Toutes les fois qu'on me sortait du lit, il fallait installer des bretelles élastiques. Papa me soutenait et une infirmière attachait l'appareil. Mon cou me faisait très mal. Si l'infirmière avait le malheur de prendre quelques secondes de trop, je criais et j'allais même jusqu'à l'insulter, ce que je regrette beau-coup aujourd'hui.

J'ai toujours aimé prendre de bons bains chauds. Ce n'était pas facile dans mon état. Mais papa savait combien j'aimais ça et il m'amenait souvent à la salle de bain. Elle est équipée d'une petite grue pour lever les patients de leur fauteuil et les déposer dans la baignoire. Mais c'était trop compliqué et inconfortable et papa me prenait plutôt dans ses bras et me déposait lentement dans la baignoire sur un support spécial. Ces bains me relaxaient et me faisaient beaucoup de bien.

Même si je perdais du poids, ça ne paraissait pas trop car je commençais à enfler. J'ai eu longtemps un gros visage rond, boursouflé. L'enflure était causée par le décadron, un médicament qu'on m'a donné pendant plusieurs mois pour réduire l'inflammation du cou suite à l'opération. Les décadrons sont une sorte de stéroïdes, vous savez cette drogue illégale que les athlètes prennent pour se surpasser. En tout cas, j'étais loin de courir aussi vite que Ben Johnson!

Robert Pigeon et les autres personnes du Milieu de l'enfant essayaient bien de me distraire et de m'amuser pour chasser mes idées noires, mais il n'y avait rien à faire. D'abord, je n'avais pas du tout le cœur à m'amuser, et puis j'étais mentalement et physiquement incapable de m'adonner à des activités comme les autres patients. Les valiums, la codéine et les autres médicaments m'enlevaient ma concentration de sorte qu'il m'était très difficile de lire, de jouer ou d'écouter la télévision. D'ailleurs, je n'avais pas l'usage de mes mains pour bricoler, tenir un livre ou jouer avec des jeux. Je devais donc rester dans mon lit ou dans mon grand fauteuil inclinable sur roues à regarder la télévision, qui ne m'intéressait d'ailleurs pas, et à écouter de la musique.

La première nouvelle vraiment encourageante que j'ai reçue quelques semaines après l'opération était que mon type de cancer était différent de celui de grand-papa Hector. Bien sûr, j'avais un cancer grave et agressif, mais j'avais au moins l'espoir qu'il ne se développerait pas comme celui de grand-papa.

Quand j'étais assez bien, papa ou maman me promenait dans les corridors allongé dans un long fauteuil inclinable sur roues. Ce n'était pas facile car il fallait aussi qu'ils poussent le poteau roulant sur lequel était fixée la pompe de l'intraveineuse.

Les lundis soirs étaient sacrés: les bénévoles de l'hôpital, qui sont des étudiants, des travailleurs ou des personnes âgées consacrant leur temps libre à rendre la vie des malades plus agréable, organisaient des bingos où on pouvait gagner des petits cadeaux. Cela se passait au cinquième étage. Je ne les manquais jamais quand j'étais suffisamment bien. J'y allais habituellement dans mon long fauteuil sur roues, mais il m'est arrivé d'y aller dans mon lit! Les bénévoles poussaient mon lit et le poteau d'intraveineuse jusque dans la salle d'amusement du cinquième.

Il m'était cependant impossible de déposer moi-même les jetons sur la carte de jeu, mais mes parents ou Julie le faisaient pour moi. Je criais souvent «bingo!». Tout le monde finissait par gagner... La plupart du temps, cependant, j'avais des malaises et je ne pouvais pas rester pendant toute l'heure que durait cette activité.

À part ces petits à-côtés divertissants, la vie à l'hôpital n'avait rien de bien rigolo. C'était toujours la même routine, à commencer par les repas qui n'étaient pas toujours à mon goût. Quand la bouche et la gorge ne me faisaient pas trop mal et que je pouvais manger du solide, papa ou maman m'apportaient souvent des plats spéciaux de la maison ou du restaurant: pizzas, spaghettis, poulet, mets chinois... Quand ma gorge était trop douloureuse, c'est Monique Pépin qui prenait la relève avec ses délicieux flans qui passaient dans la gorge sans trop me faire mal. Monique est une amie de la famille, que dis-je, bien plus qu'une amie: c'est son père, le Dr Gérard Pépin, qui a fait une césarienne à maman quand je suis né; il a donc été le premier sur terre à m'avoir vu!

La routine quotidienne continuait: visites des médecins, nombreuses prises de température, de tension artérielle et de pouls, piqûres surtout. J'en ai beaucoup à dire sur ces fameuses piqûres!

On me prélevait du sang tous les jours, on me faisait des injections, on me donnait de la chimio et des antibiotiques par intraveineuses, et on m'a même transfusé du sang car j'étais anémique, c'est-à-dire affaibli à cause d'un manque de globules rouges.

Le plus étonnant, c'est tout le tralala entourant l'installation des sacs de médicaments de chimio sur le poteau. Les sacs bruns portent une étiquette sur laquelle est écrit en grosses lettres rouges et jaunes «Bio Risque» (les étiquettes ont été changées; au début elles indiquaient «Cancer Chemotherapy»). À cause de la toxicité des produits, les infirmières portent un masque, une longue blouse couvre-tout et deux paires de gants en caoutchouc, une par-dessus l'autre! au cas où le liquide les éclabousserait... Imaginez, à moi, on injectait ce liquide non pas sur la peau, mais dans mon corps 24 heures par jour, jusqu'à six jours d'affilée, toutes les trois semaines!

J'ai tellement eu de piqûres, d'intraveineuses et de prises de sang que j'avais parfois l'impression d'être comme un fakir sur une planche de clous! Mais on finit par s'habituer. Le plus difficile, c'est l'insertion de l'intraveineuse dans une veine. C'est particulièrement difficile pour moi car je n'ai pas la veine d'avoir de grosses veines... Et celles qui me restent ont été perforées si souvent qu'elles sont presque inutilisables.

Il m'est arrivé toutes sortes de mésaventures avec les intraveineuses. Une fois, on a oublié de changer le sac de chimio qui était vide et l'aiguille s'est bouchée. Il a donc fallu réinstaller une autre intraveineuse. Une autre fois, l'aiguille est sortie de la veine pendant la nuit et le gros sac de médicaments, qui devait durer 18 heures, s'est vidé dans le lit. Ils ont été obligés de prolonger mon traitement d'une journée pour compenser. Je me rappelle aussi d'une fois où on m'avait inséré l'intraveineuse dans une veine trop petite. La veine ne pouvait pas absorber le débit du liquide; il a donc débordé de la veine sous ma peau. Une grosse bosse est apparue et c'était très douloureux. Ils ont dû enlever l'intraveineuse, l'installer ailleurs et m'injecter de la cortisone pour éviter des complications là où le liquide avait coulé.

Les infirmières de l'équipe spéciale chargée d'installer les intraveineuses et de prélever le sang devaient parfois s'y prendre jusqu'à trois fois avant de trouver le filon. J'ai même vu une de ces vampires repartir bredouille, sans une goutte de sang, après quatre tentatives: au poignet, au pied, au doigt et au bras. Je dois ajouter cependant que les infirmières et infirmiers de cet escadron savent comment s'y prendre et sont tous très gentils, mais j'aimais bien que ce soit Carol Fraser qui m'installe les intraveineuses...

Celle qui m'a le plus fait rigoler, cependant, c'est Anne Hatfield. Il faut que je vous raconte.

Anne est une anglophone qui fait des efforts très louables pour me parler en français. Un bon matin, j'étais dans mon lit en train de bavarder avec papa. À huit heures, on frappe à la porte pour la prise de sang quotidienne. C'était Anne. Elle me dit:

— Mathioouu, c'est le temps pooour vuous d'oune preeze de sein.

J'ai regardé papa du coin de l'œil et nous avons dû nous mordre les lèvres pour ne pas pouffer de rire. Le lendemain matin, Anne frappe à nouveau:

— Mathioouu, c'est le temps pooour vuous d'oune preeze de sein.

Cette fois, ce fut plus fort que nous. Nous n'avons pas pu nous retenir. Après lui avoir expliqué que ce qu'elle me disait sans le savoir c'était «Mathieu, it's time for you to take the breast», elle s'est esclaffée à son tour.

Depuis ce jour, Anne a beaucoup amélioré sa prononciation du français et elle dit maintenant impeccablement: «Mathieu, c'est le temps d'une prise de sang».

Heureusement, la routine quotidienne était brisée par de nombreuses visites... Au tout début de mon hospitalisation je refusais carrément de voir qui que ce soit sauf, bien sûr, mes parents. J'exigeais d'ailleurs que papa ou maman restent toujours à mes côtés. Quand il leur fallait téléphoner ou aller manger à la cafétéria, ils me mettaient le cordon de la sonnette dans la bouche au cas où j'aurais besoin d'une infirmière et je leur disais de revenir dans cinq ou dix minutes, pas plus! Je les chronométrais en regardant la grosse horloge accrochée au mur de la chambre.

Je suppliais papa de ne pas aller travailler, de rester avec moi toute la journée. Papa disait qu'il avait beaucoup de travail au bureau, qu'il avait déjà épuisé beaucoup de congés et qu'il ne lui en resterait plus pour passer des vacances avec moi plus tard, à l'été, dans les Provinces maritimes.

Il avait beau employer mille arguments pour me convaincre qu'il devait aller travailler, j'insistais inlassablement pour qu'il reste. Il allait quand même au travail, mais je piquais des crises et j'étais très fâché contre lui. Papa a finalement demandé à son patron, Peter Barnes, de me rendre visite à l'hôpital pour me persuader qu'il avait besoin de lui au bureau.

Ce soir là, Douglas Voice, le directeur du département de musique de l'Université d'Ottawa, qui a été guéri d'un cancer au début des années soixante-dix et qui me rendait souvent visite à l'hôpital pour m'encourager, était dans la chambre avec papa et maman lorsque

Peter est arrivé. Papa avait prévenu Peter que j'étais très déprimé et il s'attendait à me trouver très triste. Il fut tout surpris de me voir, au contraire, très souriant.

Je venais, ce jour même, presque trois mois après l'opération, de recevoir une superbe nouvelle. Le résultat d'un examen au scanner montrait que ma tumeur avait finalement cessé de grossir! La radiothérapie et la chimiothérapie avaient réussi à contrôler mon cancer. Bien sûr, je n'en étais pas complètement débarrassé car la tumeur était toujours là, menaçante, mais au moins je savais qu'elle ne gagnait pas de terrain.

J'étais tellement heureux ce jour-là que Peter n'a pas eu besoin de me convaincre de libérer papa. Cependant, si j'ai accepté que papa aille au bureau le jour, j'exigeais qu'il passe toutes ses nuits à l'hôpital avec moi. Il couchait à côté de mon lit sur un fauteuil inclinable qu'il disait très inconfortable.

Au début de mon hospitalisation, je détestais recevoir des visiteurs. Mais je me suis rendu compte que ce sont les nombreuses visites et les bons vœux qui rendaient mes journées plus supportables à l'hôpital. J'ai reçu des centaines de cartes de souhaits et autant de visites.

Les élèves de mon école m'ont dessiné une immense carte qu'ils ont tous signée en écrivant toutes sortes de blagues. Les élèves et professeurs du Conservatoire m'ont envoyé une douzaine de gros ballons multicolores avec des notes de musique imprimées dessus; j'ai reçu de nombreuses cartes, fleurs, cassettes de musique, livres et autres cadeaux des parents et amis. J'ai même reçu, de nos amis les Lapointe, une cassette avec de la musique, des blagues et des histoires très amusantes qu'ils avaient eux-mêmes jouées, composées et enregistrées pour moi. Cela m'a beaucoup touché.

Mais la lettre qui m'a le plus ému est celle que j'ai reçue de mon idole et ami Yo-Yo Ma. Je vous la confie:

Le 19 mai 1989

Cher Mathieu,

Je suis désolé que tu sois malade. Je suis sûr que tu as beaucoup de courage, mais quelquefois ça peut être un peu triste. Je sais que tu aimes beaucoup le violoncelle, et c'est pourquoi je t'envoie deux petites cassettes de morceaux que j'aime beaucoup.

J'espère que tu pourras les écouter quand tu t'ennuies à l'hôpital. Je te souhaite une bonne récupération.

Amicalement,

[signé] *Yo-Yo Ma*

Une côte à remonter

J'étais descendu très bas au cours des premiers mois d'hospitalisation, tant physiquement que moralement. Je n'avais plus de moral, plus de volonté pour combattre. Vivant continuellement dans la crainte de mauvaises nouvelles, j'avais perdu tout goût de rire moi qui suis connu pour mon sens de l'humour et mon espièglerie.

Le jour où Anne Hatfield m'avait tant fait rire, je me suis senti très bien toute la journée. J'avais découvert la thérapie du rire! Cette thérapie est bien plus efficace que la radiothérapie et la chimiothérapie! À partir de ce jour, j'ai demandé à papa de mettre la main sur tous les livres d'histoires drôles qu'il pouvait trouver et de m'en faire la lecture pendant des heures. J'affectionnais particulièrement les histoires qui mettaient en cause la médecine, la musique ou les deux. Papa en avait lui-même créées. Par exemple, pour m'inciter à accepter mes médicaments, il me disait, «si Schubert les avait pris ses remèdes, il l'aurait sans doute terminée sa symphonie inachevée!» Il aimait aussi citer des auteurs qu'il avait lus: «On a beau avoir une santé de fer, on finit toujours par rouiller.» (Jacques Prévert)

Mais les histoires les plus drôles sont les histoires vraies, comme celle-ci, qui s'est passée aux États-Unis et que les journaux ont rapportée. Elle m'a beaucoup et longtemps fait rire et je l'ai racontée à presque tous ceux qui sont venus me visiter.

Une dame, donc, faisait le ménage des toilettes. Elle sursauta en apercevant un hanneton qui nageait sur l'eau. Elle s'empressa d'actionner la chasse. L'insecte tourbillonna et tourbillonna mais ne disparut pas. La dame alla donc chercher un insecticide en aérosol et aspergea abondamment la bestiole. Peu après, son mari dut aller au petit coin. Dès qu'il fut confortablement installé, il s'alluma une cigarette et jeta l'allumette sous lui. Il s'ensuivit une formidable explosion qui le brûla vivement vous savez où. À leur arrivée, les ambulanciers installèrent Monsieur sur une civière. En se dirigeant vers l'ambulance, ils lui demandèrent comment cela était arrivé. L'explication fit tordre de rire les ambulanciers qui échappèrent l'homme dans l'escalier. Le pauvre se brisa une jambe! Tout ça à cause d'un innocent hanneton.

L'histoire ne dit pas si le hanneton nage toujours...

Papa est d'avis qu'il y a une bonne leçon à tirer de cette histoire vraie:

— Tu ne devrais jamais commencer à fumer, me dit-il, car la cigarette n'est vraiment pas bonne pour la santé: elle cause des cancers, des brûlures et des fractures!

Papa et maman louaient aussi beaucoup de films comiques sur vidéocassettes. J'ai ainsi découvert Louis de Funès, Pierre Richard, Jean-Paul Belmondo, Chevy Chase, John Candy et bien d'autres qui devraient figurer dans toutes les ordonnances des médecins!

J'ai enfin retrouvé le sourire et mon sens de l'humour, même si je continuais à subir des traitements intensifs, avec tous leurs effets secondaires très pénibles. Bien sûr, je n'étais pas tous les jours souriant, loin de là , mais le rire m'aidait grandement à faire face à la musique et me permettait de recharger mes batteries pour affronter et supporter les moments les moins drôles. Vous savez, l'Hôpital général d'Ottawa, qui est juste à côté de mon hôpital pour enfants, a mis sur pied, en avril 1990, une salle du rire pour ses patients souffrant du cancer!

C'est vraiment à ce moment-là que j'ai commencé à prendre conscience de mon entourage, de tous ceux qui étaient là pour m'aider. Je réalisais ainsi que ma maladie n'était pas seulement difficile pour moi, mais pour toute ma famille. Nous avons dû voir un psychiatre de l'Hôpital pour enfants, le Dr Pagé.

Je réalisais aussi que je n'étais pas le seul enfant aux prises avec une terrible maladie, que d'autres enfants souffraient aussi beaucoup et étaient même plus mal en point que moi. Prenez Ryan, par exemple, qui a aujourd'hui quinze ans et qui est hospitalisé pour des problèmes respiratoires depuis l'âge de neuf mois. Imaginez: quatorze longues années d'hospitalisation, cloué à un lit et à un fauteuil roulant, branché à un respirateur! Ou encore, Keith qui s'est fait amputer sa jambe droite au complet à cause d'un cancer qu'il traîne depuis nombre d'années; et la pauvre Lilas, atteinte de leucémie, qui a dû combattre une sévère jaunisse et de graves problèmes d'intestins. Elle a bien failli mourir.

J'avais une très longue côte à remonter. Par leurs visites et leurs bons mots, les parents et amis ont beaucoup contribué à cette remontée. Quand on reçoit des centaines de visiteurs, c'est signe qu'on nous aime beaucoup. Je voudrais bien leur rendre la gentillesse en les nommant tous, mais c'est bien sûr impossible. Les centaines de personnes que je ne nommerai pas me pardonneront cependant de mentionner les visites de mes oncles et tantes du Nouveau-Brunswick qui sont tous venus chacun leur tour pour m'encourager. Grand-maman Anita est venue souvent malgré la distance et sa santé fragile. À chacune de ses visites, elle m'apportait beaucoup de gâteries et d'amour; grand-papa Louis et grand-maman Éva, qui ont 84 et 82 ans, ont pu venir malgré qu'ils faisaient leur grande part en gardant régulièrement Julie chez eux. Tante Odélie et oncle Guy, la sœur et le frère de grand-papa Hector, sont aussi venus plusieurs fois. Malgré qu'il n'est plus tout jeune, grand-oncle Jean-Marie a cueilli pour moi de grandes quantités de fruits sauvages que j'aime tant!

Ma cousine Johanne, dont le bébé d'un an, Gabriel, était hospitalisé pour une opération aux reins, m'a tenu compagnie chaque jour de son hospitalisation. Plusieurs amis, surtout parmi les plus âgés, comme Monique Lanthier, Claudette Danis, Robert Chapman, Pierre Laurin, Marie-Claude Pineau, les Poon, madame Henchiri et sa fille Elsa, ainsi que nos très chers amis du Texas, les Ouellette-Streater, m'ont fait des visites bien appréciées. Cependant, j'étais un peu triste qu'aucun de mes amis d'enfance ne soit venu me voir à l'hôpital. Ils étaient sans doute impressionnés ou intimidés par ma maladie, ou peut-être craignaient-ils de l'attraper? Ils n'auraient peut-être pas su quoi me dire.

Sans la compréhension et la gentillesse du personnel infirmier de l'hôpital, je n'aurais certainement pas pu remonter si vite la côte. C'est incroyable comme ils peuvent être patients, même avec un enfant aussi exigeant, capricieux et entêté que moi. À cet égard, certaines méritent sûrement une médaille de bravoure. Madame Robbins (née Fran Arsenault, une Acadienne comme papa), mérite la médaille d'or. Même quand je n'étais pas un des ses patients, elle était souvent à mes côtés quand venait le temps de prendre la terrible doxorubicine, et à bien d'autres moments où j'étais triste.

Tous les membres du personnel infirmier méritent, sans exception, au moins un accessit, comme on dit au Conservatoire! En une année d'hospitalisation, j'en ai vu défiler des centaines, chacun doté de qualités bien particulières. Jocelyne, Kim, Janine, Maryse, Lorraine, Neena, Valérie, Tina, Cynthia, Anik, Mary-Lou, Bahy, Karen, Natalie, Brenda, Marilyn, Colleen, Rene, Sylvie, Linda, Alex, Leighanne, Charlie, Jacqueline, Céline, Patti, Sandy, Mireille, Anne-Marie, Daniel, Joan, Rosemary, Jean, Annette, Irena, Carolyn, Connie, Rosie, Debby, Diane, Mario, Kirstin, Judy, Claire, Jane et bien des médecins internes dont les docteurs Kharfy,

Lee, King, Sabourin, Joly... Il y a aussi de nombreux infirmiers et médecins bien gentils dont j'ai oublié le nom mais dont je me souviendrai toujours du sourire!

Il ne faut pas croire que j'étais couché dans mon lit toute la journée à ne rien faire. Chaque instant de la journée était occupé à différentes activités.

Je me réveillais tous les matins vers sept heures. Je regardais la télé pendant que papa était allé déjeuner à la cafétéria; il revenait dix minutes plus tard comme je le lui avais ordonné, et il me faisait manger, car j'étais incapable de tenir des ustensiles. La prise de sang avait toujours lieu à huit heures pendant mon petit déjeuner... de quoi couper l'appétit. Puis c'étaient les séances de torture d'ergothérapie avec Hélène Marchand et de physiothérapie avec Jane Hill.

L'ergothérapie est un ensemble de traitements pour rééduquer les handicapés à un travail physique. C'est aussi l'ergothérapeute qui fabrique des outils et des équipements adaptés à leurs besoins. Hélène et son équipe m'ont fabriqué des supports pour mes bras, des coussins spéciaux pour mon fauteuil roulant, des ustensiles et des crayons qu'on attache à la main, et d'autres trucs encore. Les longues séances d'ergothérapie servent à nous apprendre à manipuler et à utiliser ces instruments.

La physiothérapie, par contre, vise la récupération des mouvements du corps. Jane Hill, ma physiothérapeute, est bien spéciale. Jane est d'origine britannique et parle anglais avec un accent que j'ai beaucoup de mal à comprendre. Elle semblait aussi avoir de la difficulté à comprendre mon anglais rudimentaire surtout lorsque je la suppliais d'arrêter quand ça faisait trop mal. Elle est toute petite, à peine plus grosse que moi. Mais malgré sa petite taille, Jane a tout ce qu'il faut pour devenir championne de lutte gréco-romaine: elle me prenait dans mon fauteuil roulant et me transportait sur le tapis d'exercice toute seule; elle me manipulait comme si j'étais une poupée de chiffon et ne semblait pas impressionnée par mes pleurs et mes cris de douleur. Malgré tout, j'aime bien Jane.

Il ne faut pas penser qu'en allant à l'hôpital on a au moins la chance d'échapper à l'école. Pas du tout! Ils finissent toujours par nous retrouver! C'est Nicole Dansereau qui a eu l'ingrate tâche de me donner des cours à l'hôpital. Elle a su se faire pardonner en m'apportant un ordinateur et des jeux éducatifs pour mes leçons. Cependant, Nicole, Hélène et Jane sont souvent venues en vain à ma chambre. En effet, il arrivait souvent que je ne me sentais pas suffisamment bien pour mes leçons particulières ou pour faire des exercices physiques. Souvent aussi, j'étais parti subir des traitements de radiothérapie ou passer des examens médicaux.

Quand j'avais des moments libres, je me faisais raconter des histoires drôles par papa ou maman, ou je regardais la télévision. C'est d'ailleurs en regardant les émissions de la chaîne pour jeunes, YTV, que j'ai appris le peu d'anglais que je connais, car je savais à peine dire oui et non quand je suis entré à l'hôpital. J'ai aussi appris l'anglais médical. Il m'ont très souvent donné l'occasion de m'exercer à dire «it hurts, it hurts!», ou «not so fast, not so fast!», ou encore «restart the pump, restart the pump!» quand le sac de chimio était vide et que la pompe s'arrêtait automatiquement.

Après être resté deux mois enfermé à l'hôpital, je voulais à tout prix retourner à la maison. Le Dr Hsu n'était pas du tout d'accord. Elle savait que je n'étais pas prêt à sortir; elle a donc proposé que j'aille m'installer avec ma famille dans la maison Ronald MacDonald à côté de l'hôpital. J'avais presque accepté mais j'ai finalement tenu tête et elle a cédé, en partie, en me laissant aller à la maison les fins de semaine. Je partais pour deux jours avec ma panoplie de médicaments (valium, codéine, antibiotiques, décadron et autres.) Mes parents m'ont aménagé une chambre au rez-de-chaussée avec télévision et Nintendo...

Lors d'une de ces sorties, en juin, j'ai eu l'immense plaisir et honneur d'être invité au Centre National des Arts, une des salles les plus prestigieuses au Canada, pour un concert qui m'était dédié! L'Orchestre des conservatoires de musique du Québec (formé des meilleurs musiciens des sept conservatoires) était en tournée canadienne. Pierre Laurin, qui en faisait partie, avait proposé à la direction que le concert me soit dédié, ce qui a été tout de suite accepté.

Pour cette occasion très spéciale, grand-papa Louis, grand-maman Éva, grand-oncle Guy et mes grand-tantes Odélie, Rita et Thérèse étaient présents dans une loge. Plusieurs autres parents et amis, dont le Dr Hsu, assistaient aussi au concert. La salle était bondée de monde. J'étais fier, en smoking dans mon fauteuil roulant. C'était très émouvant quand l'annonceur m'a présenté au public. Mais je me sentais très fatigué et j'avais très envie de vomir. Je n'ai malheureusement pas pu rester jusqu'à la fin de ce concert très mémorable.

C'était toujours pénible de revenir à l'hôpital le lundi matin et j'en demandais toujours plus. Je ne me contentais plus des fins de semaine. Je voulais obtenir mon congé de l'hôpital et n'être hospitalisé qu'aux trois semaines, seulement pour mes traitements. La gravité de ma maladie inquiétait beaucoup mes médecins et ils voulaient me garder à vue le plus longtemps possible, d'autant plus que je prenais beaucoup de médicaments, ce qu'il fallait surveiller de près.

Contrarié de ne pouvoir obtenir ce que je voulais, j'étais redevenu maussade et boudeur. Toutefois, à la nouvelle des résultats d'un examen au scanner qui montrait que ma tumeur avait cessé de grossir au début de juillet, le Dr Hsu se résigna à me donner mon congé de l'hôpital. Je suis donc retourné à la maison mais j'ai dû me rendre fréquemment à l'hôpital pour des consultations, à cause d'infections, de bobos ou pour des traitements.

Le Dr Hsu avait d'ailleurs eu la gentillesse de modifier le calendrier de mes traitements pour me permettre d'aller passer une semaine au chalet de grand-maman au Nouveau-Brunswick. Ce petit congé me fit grand bien. Je me suis senti mal plusieurs fois pendant le voyage mais cet exploit de pouvoir aller jusqu'à Saint-Quentin me donnait l'impression d'être quasiment guéri. Je commençais même à douter de l'utilité de continuer mes traitements de chimiothérapie.

Cependant, je savais bien au fond de moi que je n'étais pas vraiment guéri, que ma tumeur n'avait pas disparu, qu'elle était toujours là, prête à contre-attaquer! J'étais souvent fatigué et j'avais très mal au cou. En visite chez tante Francine au Nouveau-Brunswick, j'ai été obligé de me coucher toute la soirée tellement je me sentais mal. Puis, de retour à Hull, chez oncle Serge, j'avais bon espoir de pouvoir faire toutes sortes de mouvements dans l'eau de sa piscine. Je croyais qu'avec l'apesanteur il me serait plus facile de me mouvoir; mais même avec l'aide d'oncle Pierre et de mes cousins Michel et Martin, je n'arrivais pas à bouger. J'étais extrêmement déçu et déprimé.

Ma maladie continuait donc de m'inquiéter beaucoup. J'étais d'autant plus inquiet que je ressentais de plus en plus fortement les effets secondaires de la chimiothérapie. J'étais toujours paralysé et on n'avait noté aucun progrès dans mes mouvements. Consciente de mon angoisse, Kathy Irwin, la travailleuse sociale, tentait de trouver quelque chose qui pourrait me remonter le moral et me donner espoir.

Elle mentionna l'œuvre de la Fondation Canadienne Rêves d'Enfants, un organisme à but non lucratif qui tente de réaliser le rêve le plus cher des enfants âgés de 3 à 18 ans, atteints de maladies terminales et pour lesquelles il n'y a pas encore de méthode de guérison. Plusieurs choisissent de rencontrer personnellement leur idole favorite, d'autres préfèrent visiter un endroit de rêve, comme le Monde de Disney en

Floride. J'avais déjà rencontré deux fois mon idole, Yo-Yo Ma, et il était attendu à Ottawa pour un concert en décembre 1989. De plus, j'avais fait un voyage à Disneyworld l'année précédente, et cela n'aurait pas été très nouveau pour moi.

Mon rêve à moi, depuis que j'étais tout jeune, c'était d'aller un jour en Europe. Papa et maman y étaient allés plusieurs fois et j'étais toujours émerveillé quand ils m'en parlaient. Je leur avais fait promettre de m'amener en Europe avant que j'aie 18 ans. Je connaissais tous les pays d'Europe et leur capitale et j'aimais particulièrement étudier la géographie en demandant continuellement à papa de tester mes connaissances. C'était décidé. S'il y avait un rêve que la Fondation Canadienne Rêves d'Enfants pouvait réaliser pour moi, c'était l'Europe. Je souhaitais particulièrement voir Paris, mais aussi le Vatican, dans l'espoir qu'une visite dans ce lieu saint puisse contribuer à ma guérison. À notre grande joie, la Fondation accepta de concrétiser ce rêve et de m'envoyer, avec ma famille, à Paris et au Vatican.

Bien sûr, ne voulant pas abuser de la générosité de la Fondation, papa proposa de défrayer une partie des coûts. En entendant parler de ce projet merveilleux, ma parenté s'est aussitôt cotisée pour nous permettre d'étirer ce voyage en temps et en distance. Nous pouvions maintenant nous permettre de prendre trois longues semaines et voir non seulement Paris et le Vatican, mais aussi Florence, Pise, Nice, Milan, Venise et plus encore. Le Dr Hsu se réjouissait pour nous mais elle n'était pas très favorable à ce voyage, si loin et pendant si longtemps puisqu'il fallait espacer deux traitements de chimiothérapie. C'est de bon cœur qu'elle a finalement consenti à me laisser partir en disant que la qualité de vie était, elle aussi, très importante!

L'œuvre de la Fondation Canadienne Rêves d'Enfants est merveilleuse. Vous ne savez pas tout le bien que m'a fait non seulement le voyage en soi, mais toute la période de préparation qui a précédé. Pendant des semaines et des semaines, j'ai cessé de me faire du souci au sujet de ma maladie. Je n'avais pas le temps d'y penser. J'étais bien trop occupé à faire des lectures sur les villes et les régions que j'allais visiter, à préparer les demandes de passeports, à penser aux bagages et à l'équipement dont j'aurais besoin, à m'informer sur les horaires et sur le type d'avion que j'allais prendre, et tout le reste.

Nous étions un peu inquiets de partir, comme ça, pendant plus de trois semaines loin de mes médecins pour un voyage qui risquait d'être épuisant pour moi. La Fondation Canadienne

Rêves d'Enfants et un dévoué représentant, Bill Corcoran, nous ont grandement rassurés en nous disant qu'on pourrait compter sur eux si nous devions faire face à des complications en voyage et qu'ils verraient à nous ramener plus tôt au pays s'il le fallait. Nous avions donc un soutien matériel et moral pour partir en toute quiétude. Comble de la gentillesse, Jean-Pierre St-Amour (il porte bien son nom) m'a prêté son propre fauteuil roulant flambant neuf et ultraléger pour que ce soit plus facile pour papa de me pousser sur les pavés cahoteux de Paris et sur les sept collines de Rome.

Si vous le voulez, je vous amène refaire ce voyage avec moi.

Un voyage de rêve en Europe

L'itinéraire du voyage de 23 jours avait été bien planifié. Nous avions décidé de nous rendre d'abord à Paris pour trois jours, puis d'aller directement à Rome en avion. Après trois jours passés à Rome et au Vatican, nous allions remonter la botte italienne jusqu'à Nice et Antibes en passant par Florence, Pise et Gênes. Après un séjour d'une semaine sur la Côte d'Azur, nous allions prendre la direction des Alpes italiennes et revenir en Italie pour un séjour d'une semaine en montagne près du lac d'Iséo au nord de Milan. Les villes de Crémone, Vérone, Milan, Venise et Lugano, en Suisse, étaient aussi inscrites à notre programme d'excursions.

Le 4 août 1989, jour du grand départ, est enfin arrivé. Bill nous attendait à l'aéroport d'Ottawa. Il s'est occupé d'obtenir les cartes d'embarquement, puis nous a amenés prendre des rafraîchissements au café, après quoi il nous a accompagnés jusqu'à la porte d'embarquement. Nous avons gagné l'aéroport de Mirabel en une demi-heure seulement en Hawker-Siddeley 748 à hélices d'une autre époque. Arrivé à Mirabel, on est venu me chercher à l'avion avec une petite fourgonnette d'Air Canada, juste pour moi. J'ai dit au chauffeur que j'aimais beaucoup les avions et, comme il était très gentil, il a fait un détour pour me faire voir divers appareils sur les pistes. J'ai reconnu des Boeing 707, 727 et 737, des DC-8 et un DC-10, un Trident, un Ilyushin-86 de l'Aéroflot et un tout nouveau Boeing 747 de la British Airways avec le bout des ailes recourbé.

Nous nous sommes rendus à l'aérogare, puis nous sommes montés dans une navette qui nous a conduits jusqu'à notre Boeing 747 d'Air Canada. Papa m'a transporté dans ses bras jusqu'à mon siège. C'est la première fois que je voyais l'intérieur d'un Boeing 747. C'est tellement grand qu'on a peine à croire qu'une pareille grosse machine de 350 tonnes pourra s'arracher du sol: dix sièges de large et deux allées à perte de vue: les passagers assis à l'arrière nous paraissaient aussi petits que des lilliputiens. Il y a bien aussi une douzaine de toilettes.

Les handicapés ont le privilège de choisir dès l'achat du billet les sièges qu'ils préfèrent. Pour être tous les quatre ensemble, nous avons choisi les quatre sièges du centre dans la première rangée de la classe économique, juste en avant de l'écran de cinéma. Nous étions en classe économique mais nous avons eu droit à un véritable traitement de première classe de tout le personnel de bord, surtout de la part de Rudy, leur chef, et de Michelle Pilon, une hôtesse pas comme les autres! Julie et moi avons eu droit à de nombreux cadeaux et aux articles réservés aux passagers de première classe, comme des trousses de toilette, des parfums, des jeux de cartes aux couleurs d'Air Canada, des gravures et une reproduction d'une œuvre du Groupe des Sept, groupe célèbre d'artistes peintres canadiens. Rudy et Michelle m'ont même offert un jeu Lego!

Papa m'a pris dans ses bras et m'a monté dans le petit escalier en colimaçon qui mène au deuxième étage et au cockpit que nous avons visité. C'est très impressionnant, surtout la nuit, de voir ces centaines de voyants lumineux partout, jusqu'au plafond.

Nous avons regardé un film, puis le soleil très matinal est apparu vers 1 h 30, heure de Montréal. Quand il a fait jour, Michelle m'a offert de m'asseoir dans un siège réservé aux agents de bord, près du hublot, d'où j'ai pu voir l'Atlantique, puis l'Irlande, Londres et le nord de la France.Ça m'a fait tout drôle de voir la terre de mes lointains ancêtres.

Ce vol de sept heures fut mémorable à tout point de vue.

J'étais loin de me douter que ma première aventure allait commencer dès mon arrivée à l'aéroport Charles-de-Gaulle de Paris.

Il y avait, ce jour-là, une grève des employés de l'aéroport. La passerelle qui s'étire jusqu'à l'avion pour faire descendre les passagers ne fonctionnait pas. Nous avons attendu une demi-heure dans l'avion, mais rien ne bougeait. On décida donc de faire descendre les passagers par un long escalier, de les faire marcher dehors jusqu'à un autre long escalier qu'il fallait remonter pour atteindre la salle des arrivées.

Comme papa devait me porter dans ses bras et que la file de passagers avançait très lentement, nous avons préféré attendre que tout le monde soit descendu avant de sortir. Nous avons été soulagés d'apercevoir par le hublot mon fauteuil roulant qui m'attendait sur le sol. Le fauteuil était tenu par un préposé des Services aux handicapés. Tout à coup, nous avons vu une étrangère s'asseoir dans mon fauteuil roulant et disparaître dans l'aéroport. Nous avons tout de suite paniqué en criant au voleur! Imaginez, se faire voler son fauteuil roulant au tout début du voyage et, par-dessus le marché, un fauteuil de grande valeur en métal très léger.

Les quatre cents passagers mettaient beaucoup de temps à sortir de l'appareil par l'unique escalier. Quand ce fut finalement fait, papa m'a pris dans ses bras, a descendu le long escalier, a marché une cinquantaine de mètres sur la piste et a remonté l'autre long escalier jusqu'à la salle des arrivées. À bout de souffle, il m'a déposé sur une banquette et a couru jusqu'au comptoir d'Air Canada pour rapporter le méfait. Après plus d'une heure et demie de recherches frénétiques dans le grand aéroport Charles-de-Gaulle, j'ai poussé un grand soupir de soulagement quand j'ai finalement vu réapparaître le fameux fauteuil!

La dame qui s'y était assise pensait que c'était un fauteuil des Services aux handicapés, tandis que le préposé des Services aux handicapés pensait que c'était le fauteuil de la dame... Cette mésaventure a eu une fin heureuse, mais elle nous a mis sur les nerfs et nous a rendus craintifs pendant tout le reste du voyage.

Le long vol de nuit pendant lequel nous n'avions pas fermé l'œil et l'incident à l'aéroport de Paris nous avaient crevés. Nous avons pris un taxi jusqu'à l'hôtel Cambacérès, rue Cambacérès (du nom d'un général de Napoléon), tout près du palais de l'Élysée, la résidence du président de la République, François Mitterrand. La chambre avait été retenue par la Fondation

Canadienne Rêves d'Enfants, mais à la réception de l'hôtel on soutenait qu'il n'y avait aucune réservation pour nous. Après une discussion d'une dizaine de minutes, l'hôtelier reconnut son erreur et nous avons finalement pu gagner notre chambre. Nous avons dormi tout l'après-midi pour nous remettre de notre fatigue et de nos émotions. Ce voyage commençait bien mal et nous faisait craindre le pire pour les jours à venir. Heureusement, le reste du voyage fut pratiquement sans pépin (à part un petit vol de vêtements et une blessure au pied de Julie à Antibes qui a nécessité quelques points de suture). Ce fut à tout point de vue un voyage de rêve, mieux encore que je me l'étais imaginé.

Paris, Rome, Florence:
capitales de la culture

Un couple d'amis français, Élise Battais et Philippe Brandeis, ont grandement facilité nos visites et nos déplacements à Paris, cette superbe ville très compliquée, avec ses rues qui vont en tous sens. C'était très amusant de sillonner les rues de Paris tous les six dans la mini Renault 5, avec le fauteuil roulant démontable à l'arrière.

Les mots me manquent pour décrire la Ville lumière. Paris mérite bien sa réputation de plus belle ville du monde! Nous avons vu sa superbe mairie, la place de la Bastille, l'ancien et le nouvel Opéra de Paris, le fameux musée du Louvre avec sa nouvelle pyramide en verre, la cathédrale Notre-Dame qui a 900 ans d'âge et qui est superbe avec ses clochers carrés, ses gargouilles sculptées en démons, ses arcs-boutants pour empêcher ses murs de s'écrouler et ses superbes belles rosaces (de grands vitraux colorés de forme circulaire). Malheureusement, le bossu de Notre-Dame n'était pas au rendez-vous.

Nous avons enjambé la Seine en passant par le Pont Neuf (qui est un des plus vieux ponts de Paris!) et nous avons fait une excursion dans le très charmant Quartier Latin avec ses vieilles maisons et ses beaux édifices, ses très nombreux cafés-terrasses, et ses non moins nombreux restaurants grecs, italiens, chinois et autres. C'est étonnant: il y a aussi beaucoup de restaurants français à Paris... Nous en avons essayés plusieurs et ils méritent bien leur réputation!

Nous avons aussi vu, près de l'Assemblée nationale, le Centre culturel canadien où maman a déjà donné plusieurs récitals de piano. Pas loin de là, la coupole des Invalides, où se trouve le tombeau de Napoléon, était éclatante: elle venait tout juste d'être redorée.

Il n'était pas question d'aller à Paris sans aller faire un tour dans son célèbre métro. Cependant, il n'est pas facile d'y accéder en fauteuil roulant. Nous étions tout près de la station du Châtelet. C'est donc là que nous sommes entrés. Ce n'était finalement pas le meilleur choix car il y avait au moins quatre ou cinq volées d'escaliers à descendre avant d'arriver au quai. Papa m'a descendu dans ses bras et Philippe transportait le fauteuil. Ça valait l'effort! Les wagons du métro de Paris, m'a expliqué Philippe, roulent maintenant sur du caoutchouc, ce qui permet un roulement beaucoup plus doux et silencieux. Les rames arrivent toutes les deux ou trois minutes. Elles se vident et se remplissent très vite. Nous avons filé de station en station en passant par Palais-Royal, Tuileries, Alma-Marceau et Iéna. Mais la plus belle station sur notre route, et sans doute dans tout Paris, c'est celle du Louvre, toute décorée d'œuvres d'art.

Nous sommes arrivés bien trop vite à notre destination, place du Trocadéro, tout près de la tour Eiffel. Elle est majestueuse, la tour, avec ses 320,75 mètres de hauteur. Elle a l'air si légère malgré ses 9 000 tonnes d'acier. Elle arborait fièrement, en grosses lettres illuminées, l'inscription «100 ANS». C'était effectivement l'année du 100e anniversaire de sa construction. Nous nous y sommes rendus en traversant le jardin du palais de Chaillot, et nous sommes montés jusqu'au premier palier en ascenseur. La vue sur Paris était saisissante. Pour descendre, nous avons dû attendre une heure avant de pouvoir reprendre l'ascenseur qui arrivait des paliers supérieurs, toujours bondé de monde.

La nuit, la tour Eiffel est encore plus éblouissante. Elle était tout illuminée. Nous l'avons vue depuis la Seine, sur un de ces bateaux de touristes qu'on appelle bateau-mouche à Paris.

Cette randonnée nocturne en bateau-mouche sur la Seine est vraiment spectaculaire. De puissants projecteurs installés sur le bateau éclairent les édifices historiques qui bordent le fleuve et un guide raconte un peu l'histoire de Paris et de ses monuments depuis Lutèce: une vingtaine de superbes ponts, l'île de la Cité, l'Orangerie, l'Hôtel-Dieu, la gare et le quai d'Orsay, le Palais-Bourbon et bien d'autres. C'est vraiment une expérience extraordinaire qu'il ne faut absolument pas rater quand on va à Paris!

Il y a tellement à voir à Paris qu'il faut se lever tôt pour en manquer le moins possible. Le lendemain de notre croisière sur la Seine, nous sommes partis à pied, moi en fauteuil roulant, pour nous rendre au Jardin des Tuileries voir les musées. Puis, place de la Concorde, nous avons admiré la superbe obélisque, avec ses inscriptions hiéroglyphiques, qui vient de Louksor en Égypte. De là, nous avons remonté l'avenue des Champs-Élysées, la plus belle avenue du monde! Imaginez, jusqu'à cinq voies de circulation dans chacune des directions et des trottoirs aussi larges que nos grandes rues à Hull! L'avenue fait environ deux kilomètres de long. On voit tout au bout, à l'horizon, l'Arc de triomphe érigé par Napoléon. De loin, l'Arc avait l'air tout petit, mais il grossissait à mesure que nous nous en approchions. L'Arc de triomphe est immense: 50 mètres de hauteur, 45 mètres de largeur et 22 mètres de profondeur! Il est installé en plein milieu de la place de l'Étoile. C'est un rond-point où convergent douze grandes avenues comme les rayons d'une étoile.

Je m'imagine mal en train de conduire dans ce tourbillon de voitures. Pour nous rendre jusqu'à l'Arc de triomphe en évitant la périlleuse traversée des avenues, nous sommes passés par un tunnel. Sur l'Arc lui-même sont inscrits les noms de batailles, de victoires et de centaines d'officiers de Napoléon. J'y ai aussi vu la flamme du soldat inconnu qui brûle perpétuellement.

Élise est venue nous prendre en voiture à l'Arc de triomphe, et nous sommes partis avec elle jusqu'à Montmartre pour finir ce merveilleux séjour au sommet de Paris. Elle conduit en vraie Parisienne! Il faut la voir gravir la butte Montmartre à toute allure. Priorité à droite mon œil!

Arrivés en haut de la «butte» (c'est bien plus qu'une butte!), que domine la très blanche basilique du Sacré-Cœur, il s'est mis à pleuvoir fort. Nous nous sommes mis à l'abri sous les parasols d'une terrasse, place du Tertre. Il s'est produit là un vrai miracle! J'ai réussi à me mettre debout pour la toute première fois depuis ma paralysie! Je devais, bien sûr, m'appuyer sur mon fauteuil roulant et sur la table, mais c'était tout de même un exploit que personne n'avait prévu. Papa s'est empressé de prendre cette prouesse en photo.

Julie a profité de son passage à Montmartre, qui est la capitale mondiale des artistes, pour faire faire son portrait sous les parasols par un portraitiste yougoslave. La pluie a cessé. Nous avons visité le Sacré-Cœur puis nous avons marché tout autour. Ce n'était pas facile de monter le long escalier de la basilique en fauteuil roulant et de déambuler dans ces rues aux pavés raboteux. Mais Paris vu de Montmartre est sublime! Nous avons pris notre dernier dîner parisien à Montmartre.

Le lendemain matin, Élise nous a conduits à l'aéroport Charles-de-Gaulle d'où nous nous sommes envolés, en Airbus-320, pour Rome, la Ville éternelle.

À Rome, nous logions chez nos amis, les Bilodeau. Jacques est un diplomate canadien en poste dans cette belle ville. Il était en voyage au Canada avec sa famille et il habitait notre maison. Nous étions donc tout seuls dans leur grand appartement romain bien confortable avec Kiki, le chat (un peu fou) de Raphaële et avec Corinna, la gardienne très dévouée. Nous étions juste à côté de la villa Torlonia, ancienne résidence de Benito Mussolini, le dictateur italien tué en 1945.

Un collègue de Jacques, que nous ne connaissions pas du tout, a eu pour nous un geste qui nous a profondément touchés. Il a pris plusieurs jours de congé et nous a servi de guide, de conseiller, d'interprète et de chauffeur pendant tout notre séjour à Rome. Et quel guide! Reynald Doiron parle couramment l'italien et il connaît passionnément l'histoire romaine; il connaît aussi à fond les monuments, les restaurants, les coutumes et l'art romains. Grâce à Reynald, nous en avons vu et appris plus à Rome en trois jours que ce que bien des touristes peuvent voir et apprendre en un mois!

Je n'étais pas complètement dépaysé à Rome car je suis un passionné des aventures d'Astérix. Mais cette fois, j'avais droit à la vraie histoire. C'est impressionnant et émouvant de voir des édifices, des monuments et des lieux où ont vécu les empereurs romains comme Auguste et Jules César. Mais du temps du vieux Jules, il y a 2 000 ans, Rome avait déjà 700 ans d'existence! C'est donc une ville avec beaucoup d'histoire et elle est, paraît-il, éternelle. Elle aurait été fondée, selon la légende, par Romulus et Rémus qui auraient été nourris par une louve. Il y a d'ailleurs à Rome beaucoup de sculptures en pierre ou en bronze de cette louve nourrissant Romulus et Rémus.

Reynald nous a amenés voir des ruines et des monuments de plusieurs époques. Nous avons vu le forum romain, ou plutôt son emplacement car il n'en reste plus grand-chose. Beaucoup de monuments et d'édifices sont en effet trop en ruines pour qu'on puisse bien les reconnaître. Mais d'autres monuments ont été beaucoup mieux conservés. Nous sommes passés tout près du temple de Vesta, nous avons vu la Voie Sacrée, l'arc de Constantin et celui de Titus, de même que la fameuse roche Tarpéienne sur la colline du Capitole (la plus célèbre des sept collines de Rome) d'où l'on jetait les traîtres condamnés à mort.

Nous avons admiré bien d'autres monuments antiques. Le plus connu, bien sûr, c'est le Colisée. Nous en avons fait le tour et nous avons vu un peu l'intérieur. C'est là que les Gaulois Astérix et Obélix se seraient battus contre des gladiateurs romains. C'est là aussi qu'on jetait les chrétiens aux lions. Aujourd'hui le Colisée n'est habité que par des centaines de chats de gouttière errants. Ou peut-être sont-ils des lions qui n'ont plus rien à se mettre sous la dent depuis près de 2 000 ans?

Nous avons vu aussi bien des édifices et des monuments «modernes» comme la célèbre fontaine de Trévi, l'église Trinité-des-Monts qui surplombe la fameuse place d'Espagne avec sa belle fontaine en forme de barque, ou encore l'imposant Vittoriano tout blanc. Il y a bien aussi le château Saint-Ange, qui est une forteresse à proximité du Vatican où, nous a expliqué Reynald, les papes se réfugiaient en cas de danger. Mais le plus imposant des lieux célèbres de Rome, c'est la Cité du Vatican et sa place Saint-Pierre. Je suis d'avis qu'il s'agit d'une des places les plus impressionnantes du monde!

Le Vatican est un État indépendant, avec sa propre monnaie et ses propres timbres-poste, qui ne fait même pas un demi-kilomètre carré en superficie! Le pape en est le chef. Malheureusement, le jour où nous avons visité le Vatican, le pape était à sa résidence d'été. Le Vatican est gardé par des gardes suisses rayés comme les petits suisses (tamias) dans notre cour à Hull.

La place Saint-Pierre est immense, avec une superbe colonnade de 288 colonnes en quatre rangées surmontées de centaines de statues. Au centre se trouvent un obélisque amené à Rome par Caligula, ainsi que de belles fontaines. La grosse basilique se dresse au fond de la place. Nous avions bien hâte d'aller la visiter.

Comme il faisait 40°C, papa et Reynald portaient des shorts. Au moment d'entrer dans la basilique, un gardien nous arrêta et refusa de nous laisser passer à cause des shorts. Heureusement, j'avais dans mon sac un pantalon ample pour handicapés que papa a pu enfiler sur le parvis de la basilique! Il avait l'air ridicule mais il tenait absolument à voir la basilique. Nous avons pu visiter la basilique, mais sans Reynald. Il l'avait déjà vue et il pouvait toujours revenir un autre jour. Julie se demandait d'ailleurs pourquoi tout ce chichi au sujet des shorts quand on voit toutes ces statues et tableaux d'hommes et de femmes nus dans la basilique...

L'intérieur est encore plus magnifique que l'extérieur. Nous y avons vu plein d'œuvres d'art dont la fameuse *Pietà* de Michel-Ange.

Puis, Reynald nous a amenés voir les superbes jardins du Vatican, un musée et la magnifique chapelle Sixtine. Le long corridor qui mène à la chapelle est un autre musée où sont conservés les cadeaux reçus par les papes au cours des siècles. J'y ai même vu une pierre en provenance de la Lune qui a été donnée au pape par les États-Unis! Du corridor, on peut voir l'imposante bibliothèque du Vatican. Mais le plus merveilleux, c'est la chapelle Sixtine avec son plafond sur lequel Michel-Ange a mis huit années à peindre *Le Jugement dernier*. La restauration du plafond était presque terminée quand nous l'avons vu. C'est vraiment tout un chef-d'œuvre.

Nous ne pouvions pas aller à Rome et en Italie sans essayer les vraies pizzas et les authentiques pâtes. Nous nous sommes vraiment empiffrés. J'en ai mangé tellement souvent que je parvenais même à les commander en italien!

— Vorrei una pizza margherita.

— Vorrei spaghetti ragù.

Notre voyage à Rome a été couronné par une très belle sortie en campagne organisée par Reynald, Michelle Comtois et leurs trois enfants bien sympathiques. Nous nous sommes rendus chez leurs amis canadiens qui habitent, près de Riano, en banlieue de Rome, une grande propriété avec une piscine, un tennis et, pour le grand bonheur de Julie, amoureuse des animaux, des chevaux, des chats et un chien. Nous avons découvert, tout à fait par hasard, que madame Monique Bouvrette qui nous recevait, avait déjà étudié la musique avec Gisèle la sœur de maman! Comme le monde est petit. Ce fut une superbe belle journée, qui s'est terminée dans une pizzeria du village médiéval de Riano. Nous sommes rentrés à Rome tard en soirée.

Le reste de ce voyage de rêve s'est poursuivi en voiture de location. Nous avons pris la route pour Florence qui est à un peu plus de deux heures de Rome. J'avais hâte d'arriver car j'en avais beaucoup entendu parler: c'est le berceau de la Renaissance dans les arts et les sciences aux XVe et XVIe siècles, nous disent nos livres d'histoire. J'ai lu quelque part dans mes livres que «La Renaissance correspond au début des temps modernes».

Notre horaire trop chargé ne nous a pas permis de visiter cette superbe ville comme j'aurais voulu, mais je me promets d'y retourner un jour. J'y ai quand même vu beaucoup de choses très intéressantes, à commencer par le magnifique Duomo Santa Maria del Fiore (cathédrale Sainte-Marie-de-la-Fleur) blanc, mais avec plein de lignes et de carreaux foncés, beaucoup de décorations et une coupole énorme d'un beau brun-rouge.

Nous avons vu beaucoup d'œuvres d'art bien connues dont le célèbre *David* de Michel-Ange.

J'ai beaucoup apprécié les rues piétonnes étroites et très vivantes. Nous ne voulions pas manquer non plus le Ponte Vecchio (le vieux pont). C'est un drôle de pont bordé de maisons de trois étages et de boutiques. Il est toujours plein de piétons. Il relie les deux rives du fleuve Arno. Notre très bel hôtel était d'ailleurs au bord de l'Arno, pas très loin en amont du Ponte Vecchio.

Après seulement une journée et demie à Florence, il était malheureusement temps de partir. Nous nous dirigions vers la Côte d'Azur française mais avant, nous tenions à voir Pise et sa tour célèbre. Nous avons passé une demi-journée à Pise.

Mon état ne me permettait malheureusement pas de grimper en haut de la tour, mais d'après un guide touristique, c'est vue d'en bas qu'elle vous donne le vertige. Je me console en pensant que quelques semaines après l'avoir vue, elle a été fermée au public. Elle est très belle et semble en ivoire sculpté. L'inclinaison de la tour n'a pas été voulue; il s'agit d'une erreur. Mais si elle ne penchait pas, elle ne serait pas aussi célèbre. Saviez-vous que la tour de Pise a permis à Galilée d'étudier les lois de la gravité?

Après des photos et un bon repas, nous avons filé vers Antibes où nous étions attendus à l'hôtel. Nous avons tout de même fait une brève escale à Gênes, ville natale de Christophe Colomb. Puis nous avons continué à remonter les lacets de la botte italienne jusqu'en France. Il n'y a pas seulement des lacets dans cette botte très montagneuse, mais aussi beaucoup d'œillets: je veux parler bien sûr des centaines de tunnels qui agrémentaient notre route en nous rafraîchissant pendant cette journée torride.

Côte d'Azur, Crémone, mont Campione et Venise: qui dit mieux?

Antibes est à quelques minutes de Nice et est située sur une des plus belles plages de la Côte d'Azur. Nous avons passé toute une belle semaine dans l'immense appartement des Jardins d'Ulysse. C'est le nom de notre hôtel. Je me suis beaucoup mieux débrouillé dans la piscine de cet hôtel que dans celle d'oncle Serge quelques mois auparavant. Je pouvais avancer dans l'eau en me tenant sur le bord de la piscine avec ma main gauche. C'est signe que je prenais du mieux et que le voyage me faisait beaucoup de bien.

Nous avons passé de beaux moments sur la plage, trop courts cependant, car je ne pouvais pas aller à la mer à cause de ma paralysie. Nous avons donc fait beaucoup d'excursions dans les villes environnantes et dans le magnifique arrière-pays.

Nous avons visité Nice, sa plage, ses musées (dont le Musée Chagall, que Julie a particulièrement aimé; le Musée Matisse était malheureusement en réfection) et, évidemment, ses restaurants. Nice n'est pas seulement connue pour sa salade niçoise. Elle est réputée pour avoir la meilleure pizza au monde, sans vouloir offenser les Italiens. D'ailleurs, Nice est une ancienne ville italienne!

Nous avons passé une journée à Monaco, qui est un très petit pays, mais tout de même quatre fois plus grand que le Vatican! Nous avons vu le Palais Royal où vit le prince Rainier, un jardin de plantes exotiques et le fameux institut océanographique du commandant Jacques Cousteau, avec son superbe aquarium.

Nous avons aussi visité beaucoup de petites villes et villages très pittoresques sur la côte et dans l'arrière-pays, comme Cagnes-sur-Mer où vécut Renoir, Juan-les-Pins, Cannes (connue pour ses plages et son festival du film), Vallauris (où a peint Picasso), Biot (où j'ai visité une soufflerie de verre), Grasse (la capitale mondiale de la parfumerie), et bien d'autres. Mais l'endroit que j'ai préféré, c'est Saint-Paul-de-Vence, perché sur la petite montagne. C'est un village féodal entouré d'une muraille en pierre blanchâtre. Les maisons sont aussi faites de cette pierre. Nous avons parcouru les ruelles de ce village qui a attiré beaucoup de grands artistes, dont Dallaire, un peintre de Hull bien connu. La petite église, son campanile (un clocher indépendant de l'église) et le grand palmier juste à côté sont magnifiques. Il y a aussi une très belle fontaine en forme d'urne. La pétanque semble la principale activité des habitants de Saint-Paul-de-Vence.

La semaine à Antibes s'est très vite passée. Nous suivions notre plan de voyage et sommes donc revenus en Italie. Notre prochain arrêt était très spécial pour moi: Crémone. C'est la ville qui a vu naître de grands musiciens comme Monteverdi et Ponchielli, mais Crémone est surtout connue pour ses luthiers Amati, Guarneri et, le plus célèbre, Antonio Stradivarius qui a vécu de 1644 à 1737 (sa pierre tombale indique pourtant 1729...) C'est aussi une très belle ville avec un magnifique campanile, le plus haut d'Italie avec ses 111 mètres.

Il y a un musée Stradivarius à Crémone mais, curieusement, on n'y trouve aucun instrument fabriqué par le maître! Il y a des plans de violons, violoncelles et violes, des outils, des instruments fabriqués par ses élèves, mais pas un seul Stradivarius! J'étais un peu déçu mais j'ai appris qu'il y avait bien un Stradivarius à

Crémone, un seul, et qu'il était exposé à la mairie. Nous y sommes donc allés et papa m'a photographié à côté du Stradivarius, à l'insu du gardien, car il est interdit de photographier. Quel merveilleux souvenir! Il m'a aussi pris en photo près de la pierre tombale de Stradivarius qui se trouve dans un parc non loin de notre hôtel.

Nous avons quitté Crémone et le fleuve Pô (si connu des mots-croisistes) pour nous diriger vers le très beau lac d'Iséo (lui aussi très connu des cruciverbistes). Nous avons passé une belle semaine dans une montagne qui domine le lac. Notre hôtel, style chalet suisse, était au sommet du mont Campione, à environ 2 000 mètres d'altitude. Ce fut mon premier séjour en montagne. Il fallait zigzaguer pendant une demi-heure avant d'atteindre le sommet et nous avons compté trois tunnels, 215 lacets et virages, la plupart à 180°. C'était très étourdissant sur cette route étroite et pas toujours protégée par des garde-fous. Julie a eu souvent mal au cœur.

C'était aussi très énervant car les Italiens se prennent tous pour des pilotes de course au volant d'une Ferrari et nous doublaient à toute allure dans des courbes sans visibilité. D'ailleurs, un bon dimanche matin, nous descendions tranquillement la montagne en voiture quand, tout à coup, une voiture nous a doublés à toute épouvante. Il y avait un numéro sur la portière. Puis, nous avons vu des balles de paille contre des rochers et des garde-fous (ils portent bien leur nom!) dans des courbes, et encore d'autres voitures avec des numéros qui nous dépassaient à toute vitesse. C'est alors que nous nous sommes rendu compte que nous étions au beau milieu d'une course organisée, sans avertissement, qui se déroulait sur la voie publique, en montagne, parmi les paisibles touristes!

Au sommet de la montagne, cependant, c'était très calme et silencieux. Le seul bruit qu'on entendait, c'était celui des cloches des vaches que des pasteurs promenaient jusque sur les pelouses de l'hôtel. Il n'y a pas de clôture. Ce sont de belles vaches beiges qui vivent avec leur pasteur et son chien, à cette altitude où les arbres ne poussent plus. Je les ai bien observés et c'est le chien du pasteur qui fait tout le travail. Il était amusant de le voir rassembler les vaches égarées en jappant et en leur mordillant les jarrets.

L'air de la montagne était bon et frais. Nous étions tellement hauts que certains matins les nuages passaient devant notre fenêtre. Parfois même, nous étions au-dessus des nuages! Bien sûr, en fauteuil roulant, on ne peut pas faire d'escalades en montagne, mais je me suis tout de même bien amusé sur le mont Campione.

Papa nous a acheté toutes sortes d'amusements pour nous distraire, comme du savon pour faire des bulles. Julie et moi en avons beaucoup faites sur notre balcon pour notre grand plaisir et celui des autres enfants. Il m'a aussi acheté un petit avion que j'ai eu bien du plaisir à faire planer dans le vide. C'est papa et Julie qui avaient la tâche ingrate d'aller le chercher. Nous avons aussi passé beaucoup de temps à écrire des centaines de cartes postales à nos amis.

Nous n'avons pas passé toute la semaine sur le mont Campione. Nous avons fait trois excursions d'une journée dans des sites très différents. Nous avons passé une journée à Milan qui est une très grande ville. Sa cathédrale aux milles clochers en flèches est sans doute une des plus belles au monde. Nous sommes aussi allés voir le chef-d'œuvre bien connu de Léonard de Vinci, la *Cène*, qui se trouve dans une petite église presque introuvable. Mais je ne pouvais pas aller à Milan sans voir la Scala, la plus célèbre salle d'opéra au monde. De l'extérieur, l'édifice n'a l'air de rien, mais il est de toute beauté à l'intérieur, avec ses décorations en rouge et or. Pour le visiter, il faut monter cinq étages. Papa m'a pris dans ses bras et maman a monté le fauteuil roulant. Nous avons eu accès à une des loges de l'opéra. Il y a aussi un petit musée bien intéressant où j'ai vu beaucoup d'instruments, de photos, de peintures et même des vraies mèches de cheveux de Mozart et de Verdi. J'ai pu voir des masques funéraires et des mains de plusieurs grands musiciens, moulés dans le plâtre.

Nous avons aussi fait une belle excursion d'une journée en Suisse, dans la ville de Lugano, près du lac du même nom. En route pour Lugano dans les Alpes, nous sommes arrêtés déjeuner au lac de Côme, si cher aux amoureux. Arrivés à Lugano, nous avons visité cette charmante ville et son très beau parc fleuri, puis nous avons fait un tour en pédalo sur le lac. Maman a eu très peur à cause de la houle que faisaient des embarcations motorisées au large. Paniquée, elle criait, «je veux débarquer, je veux débarquer!» Nous étions au beau milieu du lac...

Pour revenir à Iséo, nous avons pris une autre route plus pittoresque, en plein dans les Alpes aux sommets enneigés de près de 4 000 mètres. Nous avons emprunté la route de Sondrio. La nuit est arrivée. Il fallait traverser des montagnes par la passe d'Aprica jusqu'à Edolo. Le mont Campione et sa route en serpent, ce sont les plaines de l'Ouest et la transcanadienne comparé à la route tortueuse d'Aprica, dans la pluie et le brouillard, sans garde-fous, avec plein de précipices! Et les chauffards de cette vallée de la mort sont encore plus osés que ceux d'Iséo! Nous avons eu des sueurs froides cette nuit-là: ce ne sont pas des montagnes italiennes... ce sont des montagnes russes!

Heureusement, la dernière excursion d'une journée a eu lieu en pays plat, dans la merveilleuse ville de Venise. On a eu un peu de mal à se trouver un stationnement tellement il y avait des touristes. Tout de suite en arrivant, nous nous sommes fait accoster par des gondoliers. Le deuxième demandait exactement la moitié du prix du premier pour le même trajet. Il faut donc négocier. Nous avons mis 35 minutes pour nous rendre à la place Saint-Marc en gondole.

En «route», nous avons vogué sur de grandes «avenues» comme le Grand Canal, et aussi sur des «rues» et «ruelles», même à sens uniques, qui demandaient beaucoup d'adresse de la part du gondolier. Malheureusement, les gondoliers d'aujourd'hui ne chantent pas comme dans les films d'autrefois. Nous avons vu beaucoup de beaux édifices aux teintes multicolores, nous sommes passés sous le très beau pont du Rialto, et nous avons abouti à la fameuse place Saint-Marc, avec ses milliers de pigeons.Curieusement, sept ou huit pigeons à la fois venaient manger dans la main de papa, mais aucun n'est venu dans la mienne. Peut-être avaient-ils peur du fauteuil roulant.

La place Saint-Marc est immense, avec sa cathédrale, son palais des Doges et son campanile dont j'avais vu des répliques en modèle réduit à Walt Disney. C'est bien plus impressionnant à Venise. Nous avons pu voir aussi le célèbre pont des Soupirs sur lequel passaient les condamnés qui sortaient du palais des Doges pour être torturés ou exécutés.

Nous nous sommes promenés un peu dans les ruelles piétonnes de Venise, du moins aux endroits où l'on pouvait passer en fauteuil roulant, car les petits ponts qui relient les rues sont souvent en escalier. Il y a beaucoup de boutiques et de marchés. J'ai acheté une petite gondole en bois et un chapeau de gondolier. Nous sommes revenus au point de départ non pas en gondole mais en bateau à moteur, le transport en commun à Venise.

Sur le chemin du retour vers Iséo, nous avons visité un peu la ville de Vérone. Elle possède une des plus grandes arènes romaines, très bien conservée, de 22 000 places où sont présentés, encore aujourd'hui, des spectacles. On y montait l'opéra *Aïda* de Verdi. Mais Vérone, c'est aussi, comme vous le savez, la ville de Roméo et Juliette. Malheureusement, le balcon où Roméo chantait la pomme à Juliette est tombé quelques mois avant notre visite. Ne vous en faites pas, Juliette n'y était pas. Elle est décédée il y a belle lurette. J'ai d'ailleurs vu son tombeau.

Nous sommes rentrés à Iséo en soirée. J'étais un peu triste car ainsi s'achevait mon voyage de rêve en Europe. Trois semaines, c'est si vite passé! Nous nous sommes mis en route dès cinq heures du matin pour nous rendre à l'aéroport Linate de Milan. Nous nous sommes envolés pour Paris, puis de Paris à Montréal et Ottawa.

Par un heureux hasard, Michelle, l'hôtesse en or, était sur l'avion du retour! Je suis resté très attaché à Michelle, et elle à moi. De retour au pays, elle est venue souvent de Saint-Jovite, dans les Laurentides, pour me rendre visite à Hull avec son fils Alexandre. Une fois, elle m'a rapporté, d'un voyage en Inde, un superbe éléphant porte-bonheur (avec la trompe en l'air), sculpté dans le marbre, avec, à l'intérieur, un autre tout petit éléphant sculpté.

Il m'a effectivement porté bonheur. Après ce merveilleux voyage, qui aurait dû m'épuiser beaucoup, je me suis senti mieux qu'avant mon départ. C'est donc à contrecœur que je suis allé, dès mon retour, subir d'autres traitements de chimiothérapie qui, je le savais, allaient être très pénibles et m'affaibliraient.

De retour sur terre

Dès mon retour, je me suis résigné a subir un traitement, car le précédent remontait déjà à cinq semaines, soit deux semaines de retard sur l'échéancier prévu. Je savais au moins que je pourrais sortir de l'hôpital aussitôt après ma semaine de traitements. En effet, j'obtenais mon congé de l'hôpital entre mes traitements. Je devais toutefois aller me faire examiner chaque semaine à la clinique d'oncologie de l'Hôpital pour enfants et subir périodiquement des examens au scanner à résonance magnéti-que (MRI). J'étais content d'aller souvent à la clinique d'oncologie; ça me rassurait. Et puis, j'y rencontrais l'équipe bien sympathique de la clinique: les docteurs Hsu, Luke et Turner, et tout le personnel plein d'attention pour moi (Francine, Dot, Danielle, Norita, Amy, Cathy et tous les autres).

Comme je n'étais plus un patient de l'hôpital, j'ai poursuivi mes exercices d'ergothérapie et de physiothérapie non plus à l'Hôpital pour enfants mais dans une clinique de Hull avec Diane Gilbert et Lucille Lechasseur.

Nous étions au début de septembre. Après mon traitement, j'étais censé retourner à l'école une demi-journée à la fois. La maîtresse, madame Hélène Sabourin, a même accepté de déménager ma classe au rez-de-chaussée de l'école pour que j'y accède plus facilement en fauteuil roulant. Mais je n'y suis allé que six fois. Je fatiguais beaucoup assis de longues heures au pupitre et j'ai même failli m'évanouir. Je n'avais pas la force de continuer. On m'a donc trouvé, en janvier 1990, une maîtresse qui venait me donner des leçons à la maison. J'avais beaucoup de rattrapage à faire car je n'étais pas allé à l'école depuis février 1989. Michelle Lavigne a fait du bon travail puisque j'ai réussi ma sixième année et que je suis inscrit à l'école secondaire pour septembre 1990.

L'automne 1989 et l'hiver 1990 ont été pleins d'événements positifs qui m'ont aidé à passer au travers des traitements très durs.

Il faut que je vous parle d'abord du concert que je suis allé entendre à l'Université d'Ottawa. Le violoncelliste Desmond Hoebig, et le pianiste, Andrew Tunis, étaient en tournée de concerts. À l'entracte, j'étais trop faible et j'ai dû revenir à la maison avant la fin du concert. Vous pouvez vous imaginer la surprise que j'ai eue quand j'ai vu ces deux grands musiciens frapper à ma porte le lendemain après-midi. Ils avaient eu l'extrême gentillesse de venir compléter chez moi la fin de leur concert que je n'avais pu entendre à l'Université d'Ottawa la veille! En plus, ils m'ont donné un de leurs disques! J'ai été très touché.

Le 9 septembre 1989, le quotidien *Le Droit* d'Ottawa m'a consacré toute une page, rédigée par l'excellente journaliste Claude-Sylvie Lemery. Je fus très flatté par les belles choses qu'elle a écrites à mon sujet et par les superbes photos. Il y avait même une photo de moi en première page du journal, à côté de celle de Wayne Gretzky, l'as du hockey!

Claude-Sylvie et moi sommes devenus de bons amis. Elle est souvent venue, par la suite, me rendre visite en m'apportant de beaux cadeaux, mais le plus beau cadeau qu'elle m'a fait, ce fut de m'inviter à l'accompagner à notre nouveau et superbe Musée des Civilisations à Hull, sans doute un des plus beaux édifices au monde. C'était pour l'avant-première, réservée à la presse, du film *En direct de l'espace*.

Le film était projeté au cinéma du musée sur l'immense écran Imax/Omnimax, le seul au monde qui combine ces deux technologies! L'écran Omnimax est un dôme de 23 mètres de diamètre (donc plus haut qu'un édifice de sept étages!) qui entoure les spectateurs. La super-production *En direct de l'espace* montre des scènes spectaculaires tournées en vol par 14 astronautes de la NASA, au cours de trois missions. Une des vedettes de ce film extraordinaire est Marc Garneau, le seul astronaute canadien à être allé dans l'espace, vous savez ce héros dont je vous ai parlé plus tôt. J'ai eu le privilège de bavarder avec lui et je me suis fait photographier à ses côtés. C'est un chic type.

Je vais régulièrement à ma bibliothèque municipale qui se trouve dans la superbe Maison du Citoyen. C'est un édifice ultramoderne qui a gagné un prix d'architecture. Il a d'immenses espaces vitrés, ornés de fontaines et de plantes exotiques. On y donne beaucoup de concerts. C'est aussi la mairie de Hull. Je me suis lié d'amitié avec notre maire, monsieur Michel Légère, qui est plein de bonnes attentions pour moi. Il m'a récemment invité à lire une lettre de Jacques Chirac, maire de Paris, et à voir le gros morceau de la tour Eiffel qu'il a donné à la Ville de Hull pour en faire un monument. Lors d'une de mes visites, le maire a interrompu une séance du Conseil exécutif pour me présenter aux membres.

J'ai eu droit à d'autres visites de personnes de marque qui m'ont encouragé à remonter la pente. Carla Antoun, ma professeure de violoncelle au camp d'été des Laurentides en 1988, vit à Vienne en Autriche. De passage à Montréal, elle s'est rendue jusqu'à Hull pour venir dîner avec moi, de même que Jacques Lacombe, le chef de l'Orchestre Amati au même camp musical. J'ai aussi beaucoup apprécié la visite chez moi de mes anciens professeurs, André Mignault, René Nantel et Diane Dussiaume, de ma directrice d'école madame Claire Macauley et du psychologue de l'école, Oscar Teyeda, qui m'ont aussi beaucoup encouragé.

Noël 1989 m'a fait très chaud au cœur. Cette fois, c'est Saint-Quentin qui est venu nous voir! Nous étions 23 à dormir à la maison! Les cousins et cousines ont fait du camping dans des sacs de couchage sur la moquette. Ils ont trouvé l'expérience fort amusante.

Les oncles, les tantes et grand-maman Anita ont chacun apporté des plats variés, et nous avons eu droit à des festins aussi bons que ceux des Noëls à Saint-Quentin. La maison a paru bien grande et bien vide quand ils sont partis.

Ce Noël-là, j'ai reçu beaucoup de beaux cadeaux, même celui qui était attendu depuis très longtemps: un ordinateur! L'ordinateur m'est très utile, moi qui ne peux me servir de ma main droite. Grâce à lui, je peux facilement calculer, dessiner, faire mes devoirs, m'amuser à toutes sortes de jeux, composer de la musique et rédiger des textes. C'est d'ailleurs sur cet ordinateur que ce livre a été rédigé. C'est un serviteur fidèle et indispensable.

En mars 1990, il s'est produit un autre véritable miracle: J'AI RECOMMENCÉ À MARCHER! J'ai déjoué les prédictions des médecins: le Dr Latter et d'autres avaient prédit que je ne marcherais plus jamais. La côte, je pourrai maintenant finir de la monter à pied!

Il y a des centaines d'amis qui m'aident à la gravir. Bien sûr, je ne suis pas encore arrivé au sommet, au-dessus des nuages, mais je m'accroche comme un alpiniste. L'ascension se poursuit petit à petit. Cette longue pente à remonter me fait d'ailleurs beaucoup penser au mont Campione: il y a beaucoup de courbes raides et de tunnels sombres, des hauts et des bas, des ravins et des précipices; elle est très souvent énervante et me donne le vertige, des nausées et des sueurs froides.

Les nuages m'empêchent encore de voir le sommet ensoleillé, mais quand je regarde en bas, tout est si loin et si petit que je sais que j'ai fait beaucoup de chemin et qu'il n'est maintenant plus temps de lâcher. Le sommet, je vais l'atteindre et j'y planterai mon drapeau!

Et la vie continue...

Au début de ce livre, j'ai dit que le cancer m'avait pris mes onze ans. À bien y penser, je ne crois pas que cette affirmation soit complètement exacte. Bien sûr, cette maladie injuste m'a empêché de vivre mes onze ans de façon normale, d'aller à l'école comme tout le monde de mon âge, d'aller à vélo et de m'amuser avec mes amis comme je l'aurais voulu, de participer au Concours de musique du Canada et de faire bien d'autres choses intéressantes que j'aurais souhaité réaliser à onze ans.

Malgré tout, le cancer ne m'a pas vraiment volé mes onze ans. Ma onzième année a été une année pleine d'expériences uniques, tristes et moins tristes: des expériences difficiles pour la plupart, mais aussi plusieurs expériences très enviables. Même les expériences tristes et difficiles m'ont permis d'en apprendre énormément sur la vie et m'ont fait vivre très intensément mes onze ans. J'ai beaucoup vieilli en un an. Une des choses que je déteste le plus, c'est de me faire parler en bébé par certaines infirmières des autres services où je vais pour des tests. Les infirmières du quatrième Ouest, qui me connaissent bien, ne me parlent jamais en langage enfantin. Après avoir vécu ce que j'ai vécu, on n'est plus un bébé.

Ce sacripant de cancer m'a obligé à repenser à mes projets, à mes rêves, à mon avenir. Il faut maintenant cesser de regarder en arrière. C'est le temps de regarder vers le haut, vers le sommet.

Maintenant, mon rêve le plus cher, c'est évidemment de me débarrasser de cette sale maladie et de recouvrer la santé. Avant de connaître le cancer, je croyais qu'on en mourait toujours. Je sais maintenant qu'on ne meurt pas toujours du cancer, qu'on peut le vaincre et qu'une bonne partie de la victoire dépend de la volonté de gagner.

J'ai dit que le cancer est la maladie que je craignais le plus au monde. J'ai encore très peur du cancer, mais j'ai appris à vivre avec lui, à mieux le connaître, à essayer de le dominer, et je pourrai sans doute un jour m'en débarrasser pour de bon et crier victoire!

Je ne lui pardonnerai jamais d'avoir mis fin à mon rêve de devenir un grand violoncelliste, mais tout n'est pas perdu. J'aime beaucoup la musique et je pourrais poursuivre des études musicales au Conservatoire ou dans une université pour devenir compositeur. Je possède d'ailleurs déjà deux programmes d'ordinateur pour composer de la musique!

Parmi les projets que je caresse, il y a beaucoup de voyages. Je ne vous surprendrai sûrement pas en disant que je suis un mordu des voyages. Je tiens très certainement ce goût de grand-papa Hector. Je rêve de faire le tour du monde et de voir tous les continents. Mais, quoi qu'il arrive, je tiens absolument à voir la Chine. Papa y est déjà allé et chaque fois qu'il m'en parle, mes yeux deviennent tout grands. Je ne peux pas vraiment expliquer pourquoi j'ai cette attirance pour la Chine, mais je sais que je veux y aller, un point c'est tout! Je me croise fort les doigts pour que ce rêve devienne un jour réalité.

Je rêve aussi, je l'ai déjà dit, de devenir pilote d'avion, mais je n'ose pas le souhaiter trop fort de crainte que ce vœu se réalise... Même si j'adorerais le pilotage, je suis peut-être trop craintif en avion pour devenir pilote. Connaissez-vous une compagnie aérienne qui engage des pilotes pour des vols par beau temps seulement? Je souhaite au moins aller faire des tours en avion léger, ce que je n'ai jamais fait. Trois amis ont leur brevet de pilote pour les petits appareils, et ils m'ont tous les trois promis une randonnée en avion: grand-oncle Guy, Gilles

Pilon et Benoît Cyr. Peut-être me laisseront-ils devenir copilote d'un jour?

Quand j'ai commencé ce livre, je souhaitais très fort pouvoir un jour aller de nouveau à bicyclette avec mes amis. C'était parmi mes rêves les plus chers. Figurez-vous que j'ai réalisé ce rêve au début de juin 1990. À la grande surprise de tous, j'ai enfourché ma bicyclette et je suis même parvenu à monter la côte près de chez moi. J'ai des photos pour le prouver! Tous les espoirs sont donc permis!

J'ai plusieurs autres rêves et des projets secrets que je ne peux évidemment pas dévoiler.

* * *

Je ne me considère ni comme un héros, ni comme un modèle qu'on pourra citer en exemple. Comme la plupart des enfants, et j'imagine aussi comme la plupart des adultes qui passent par là, j'ai eu de nombreux moments de faiblesse et de découragement où j'ai voulu arracher les intraveineuses et en finir. J'ai été très souvent un mauvais patient, un patient impatient, difficile, exigeant, même insolent, et je m'étonne souvent quand je pense à quel point le personnel infirmier a pu rester toujours aussi sympathique envers moi, même quand je n'étais pas très gentil. Les infirmières et infirmiers étaient même visiblement très contents de me revoir à chacune de mes très nombreuses hospitalisations.

Je suis donc loin d'être un héros ou un modèle à imiter. Je ne voulais pas, par ce livre, prêcher par l'exemple. Je voulais avant tout saluer et remercier ceux qui m'ont soigné, encouragé et inspiré, et faire partager une expérience dans laquelle pourront se reconnaître d'autres personnes atteintes de maladies graves, pour qu'elles sachent qu'elles ne sont pas seules à mener des combats difficiles, à manquer de courage et de volonté pour se battre, et à se poser des tas de questions sur leur avenir et sur leurs raisons de continuer à exister.

Le cancer m'a beaucoup pris, mais je reste malgré tout convaincu que la vie à plus à donner qu'à prendre.

Un trèfle à quatre feuilles

L'ébauche de ce livre a été terminée le 25 juin 1990, après trois mois de travail ardu. Ce furent mes trois plus beaux mois depuis avril 1989. J'ai pu enfin marcher de nouveau, courir, m'amuser avec mes amis et même aller à bicyclette! J'ai réussi à rattraper une année et demie de retard à l'école et j'ai terminé l'école primaire en juin avec d'excellents résultats. J'ai même reçu une note de 100 pour cent pour l'examen de rédaction française! Je suis allé au bal des finissants du primaire le 20 juin et je me suis beaucoup amusé avec les confrères de classe retrouvés.

Au cours de ces trois mois de répit, les nuages sur le mont Campione se sont dissipés et j'ai pu voir le soleil. J'ai également pu apercevoir le sommet. Il est cependant plus haut que je ne pensais. Le 27 juin, deux jours après avoir terminé l'écriture de mon livre, les médecins ont découvert d'autres tumeurs, cette fois au bas de la colonne vertébrale. Le 17 juillet, ils ont aussi découvert des tumeurs dans ma tête.

C'est pour moi une terrible nouvelle, même pire, je crois, que lorsqu'on a découvert la première tumeur en avril 1989. Moi qui me croyais si près du sommet. Les traitements intensifs de radiations ont repris dès le 29 juin. On a encore une fois ouvert la salle de radiothérapie juste pour moi le samedi et même le dimanche 1er juillet. En août, j'ai recommencé la chimiothérapie et mes médecins ne sont pas encore certains du temps que vont durer ces traitements.

Il faudra donc que je redouble de courage et de détermination pour escalader ce dernier pic enneigé. Je suis sûr que cette dernière ascension sera plus facile. Je commence à avoir de l'expérience comme alpiniste et j'ai retrouvé mes amis qui vont m'encourager. Marianne m'a envoyé une très belle lettre et Martin m'a rendu visite à l'hôpital. Il m'a apporté un trèfle à quatre feuilles porte-bonheur qu'il a trouvé dans le parc de la Gatineau, ce parc où j'ai passé tellement de bons moments avec mes amis et ma famille.

Mathieu Froment-Savoie
le 1er novembre 1990

Mon album de photos

Grand-papa Louis, grand-maman Éva, grand-maman Anita, grand-papa Hector, alors que j'avais 8 mois.

En route pour Wakefield en train à vapeur avec Julie.

Me voici à l'âge de deux ans et demi. Je baigne dans la musique depuis mon plus jeune âge.

Grand-papa Hector aux îles Canaries.

Je veux vivre presque aussi vieux que la tour Eiffel.

La plage et le cap d'Antibes

*Que c'est romantique Venise en gondole
avec Julie et maman!*

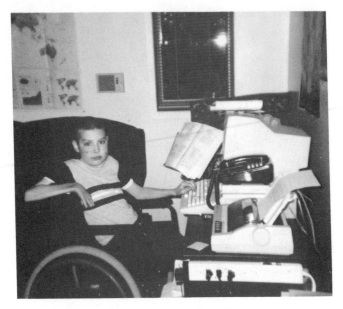

À mon ordinateur en train de rédiger le livre.

Me voici en train de dévaler la longue côte en face de chez moi! Et dire que les médecins prédisaient que je ne marcherais plus jamais...

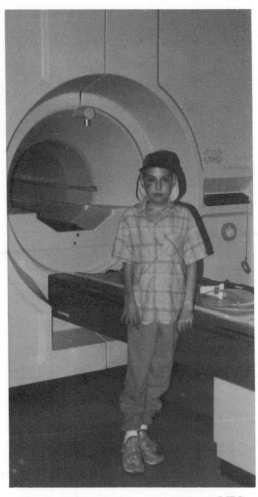

Un scanner à résonance magnétique (MRI)
qui fait autant de bruit qu'un
marteau piqueur.

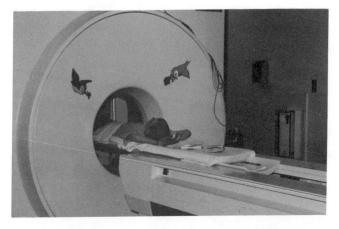

Ce gros beignet, c'est un scanner appelé «CAT Scan».
C'est un appareil à rayons X couplé à un ordinateur
qui donne des images à trois dimensions.

Ponpon, le hamster de Julie.

Place au chef!

Une partie de scrabble avec M. André Mignault qui fut mon professeur de violoncelle pendant 5 ans au Conservatoire.

En compagnie du maire de Hull, M. Michel Légère, dans son bureau de la Maison du Citoyen. Par la fenêtre on aperçoit le superbe Musée des civilisations.

Mon idole et ami Yo-Yo Ma.

*Une autre belle truite mouchetée du lac de
grand-papa Hector à Saint-Quentin.*

*La société Fraser du Nouveau-Brunswick et son président, Niall O'Briain,
ont mis à ma disposition leur jet particulier pour que j'aille passer Noël
90 à Saint-Quentin. Me voici avec l'aimable pilote, J.K. Harrigan.*

Une randonnée avec papa au fameux lac Meech dans le parc de la Gatineau, près de chez moi.

174

Table

En plein milieu de ma bataille contre le cancer, la *Fondation Canadienne Rêves d'Enfants* m'a procuré des moments sublimes en réalisant mon plus grand rêve. Vous pourriez aussi permettre à d'autres enfants atteints d'une maladie terminale de réaliser leur rêve en donnant généreusement à la Fondation. Voici quelques adresses de la *Fondation Canadienne Rêves d'Enfants*:

Bureau National:

1730, McPherson Court, Unité 30
Pickering (Ontario)
L1W 3E6   (tél.) (416) 831-9610 (fax) (416) 831-9733

Région de la Capitale Nationale:

5330 chemin Canotek, Unité 22
Gloucester (Ontario)
K1J 9C3   (tél.) (613) 747-9474 (fax) (613) 747-1652

Chapitre Québec Est:

925 rue Newton, bureau 211
Québec (Québec)
G1P 4M2 (tél.) (418) 872-8638 (fax) (418) 872-6557

Chapitre Québec Ouest:

4220 rue Saint-Laurent
Montréal (Québec)
H2W 2R2 (tél.) (514) 289-1777 (fax) (514) 289-8504

Pour plus de détails sur la *Fondation Canadienne Rêves d'Enfants* et sur son œuvre, vous pouvez appeler sans frais au 1-800-267-9474.

176

Achevé d'imprimer
en février 1991 sur les presses
des Ateliers Graphiques Marc Veilleux Inc.
Cap-Saint-Ignace, Qué.

Mathieu est décédé le 3 avril 1991,
4 jours après l'anniversaire de ses
13 ans.